LES AVENTURIÈRES

BARBARA HODGSON

LES AVENTURIÈRES
XVIIe-XIXe siècle

Récits de femmes voyageuses

Traduit de l'anglais
par Marc Albert et Camille Gerfaut

SEUIL

PAGE DE GARDE : *Visite d'un harem au Maroc* (détail), R. Caton Woodville, *ILN*, 17 décembre 1887, 727.

PAGE DE FAUX-TITRE : Adapté de *Notre voyage autour du monde avec des aperçus de la vie dans des terres lointaines à travers les yeux d'une femme*, par Rev. Francis E. Clark et Harriet E. Clark, Hartford, Conn., A.D. Worthington, 1894.

FRONTISPICE : *Une montagnarde faisant de l'escalade au Tyrol*, R. Caton Woodville, *ILN*, 18 septembre 1886, 298.

p. VI-VII : *Une femme et son guide devant le sphinx*, carte postale, vers 1900.

Les légendes des images en tête de chapitre se trouvent p. 212.

Pour l'édition originale publiée par Greystone Books, une division de Douglas & McIntyre Ltd., sous le titre *No Place for a Lady* © Barbara Hodgson, 2002

Pour l'édition française © Éditions du Seuil, 27, rue Jacob, 75006 Paris, 2002
ISBN : 2-02-055271-X
ISBN original : 1-55054-938-3

Maquette originale : Barbara Hodgson/Byzantium Books
Réalisation de la version française : Bénédicte Roscot
Imprimé et relié à Hong Kong par C & C Offset Printing Co., Ltd.

Les références et crédits figurent en regard de chaque image. Toutes les images non référencées sont issues des archives de Byzantium. Celles dont l'attribution n'est pas mentionnée proviennent de sources non identifiées ou sont l'œuvre d'auteurs inconnus. Toutes les recherches ont été entreprises afin d'identifier les ayants droit des textes protégés et des images utilisées dans ce livre. Les erreurs ou omissions seront corrigées lors de prochaines éditions, à condition d'avoir été signalées directement à l'éditeur.

www.seuil.com

Table

LADY HESTER STANHOPE.

London Henry Colburn 1845

Introduction
N'importe où, sauf à la maison

L'ÉCHO DE LEURS SABOTS RÉSONNA À TRAVERS LE DÉSERT, longtemps avant que les chevaux et leurs cavaliers ne se matérialisent, ajoutant à une excitation déjà perceptible. Des rumeurs couraient depuis des jours à Palmyre qu'une caravane venant de Damas amènerait un visiteur inhabituel. Tandis que les Palmyréens tournaient leurs visages vers les collines de l'ouest, un cri se fit entendre ; quelqu'un avait distingué des silhouettes au loin. Comme s'ils avaient répondu à un signal, des centaines d'hommes enfourchèrent leur cheval et, brandissant des sabres, galopèrent à travers les ruines de la célèbre Zénobie, à la rencontre des nouveaux arrivants. Les citadins restés en arrière attendaient impatiemment que les visiteurs descendent dans la vallée. Enfin, ils purent voir une femme de haute taille, imposante, vêtue d'une belle robe de laine et chevauchant un magnifique étalon. À son passage, la foule acclama Lady Hester Stanhope, celle qui se proclamait Reine du désert.

C'était en 1819, et Stanhope venait de réaliser l'inconcevable. Elle avait voyagé, en toute indépendance et sans voile, jusqu'au fin fond de la Syrie, où très peu d'Européens, et encore moins une Européenne, ne s'étaient ouvertement rendus depuis l'époque romaine. Ce faisant, elle avait abandonné une vie de contraintes et s'était retrouvée au cœur de l'aventure, chose inhabituelle pour une femme des temps passés. Et elle n'était pas la seule à défier les convenances en voyageant ; il y en avait beaucoup d'autres.

Nous aurions aujourd'hui tendance à croire les femmes du passé enchaînées par le manque de revenus ou leurs obligations d'épouse, de mère ou de fille, et à penser que les préjugés liés à leurs « faiblesses » entravaient leur liberté et favorisaient leur dépendance à l'égard des hommes. Il ne fait aucun doute que les contraintes étaient bien réelles, mais un nombre important de récits de voyages, écrits par des femmes, prouvent que ces obstacles ne les arrêtaient pas. Il est vrai que l'argent était un problème, comme il l'est encore aujourd'hui, mais beaucoup de femmes en disposaient, grâce à des héritages, ou le plus souvent grâce

Hester Stanhope.
La ressemblance est peu
probable, car aucun portrait
de Stanhope ne fut réalisé
de son vivant.
Attribué à R. J. Hamerton, Meyron,
vol. 1, frontispice.

à leur travail et notamment leurs écrits de voyages. Les devoirs de famille représentaient une véritable entrave – ce qui explique que nombre d'entre elles aient attendu l'âge mûr pour voyager –, mais dès qu'elles purent s'en libérer, elles le firent. La dépendance était encouragée, mais beaucoup de femmes faisaient ce qu'elles voulaient. Si elles pouvaient simuler l'impuissance la plus extrême lorsque cela les arrangeait, les femmes étaient tout sauf démunies. Davantage que les hommes, elles devaient justifier leurs voyages, si bien qu'un nombre étonnant de femmes recherchaient l'épanouissement intellectuel, alimenté par leur soif d'apprendre.

Les voyageuses des XVIIᵉ, XVIIIᵉ et XIXᵉ siècles peuvent se diviser en deux catégories : les bourgeoises trouvant la vie de famille monotone, et les aristocrates à qui leur richesse assurait un train de vie mouvementé.

Marianne North.
D'après une photographie de Williams,
Dronsart, 385.

Toutes ces femmes voyageaient pour des raisons différentes. Certaines n'avaient pas le choix, elles étaient bannies de leur pays d'origine. Caroline de Brunswick, éprouvant pour son époux une antipathie qu'il lui rendait au centuple, fut exilée pour mauvaise conduite ; le franc-parler de Mme de Staël la contraignit à fuir la France pendant la Révolution, et à en être exilée par Napoléon ; Jane Digby, Lady Ellenborough, prit des « vacances » sur le continent pour donner naissance à un enfant adultérin. Elle n'imaginait pas alors que cette incartade morale l'entraînerait dans de grandes aventures en Syrie. En 1739, se plaignant du fait que « nulle part au monde, notre sexe n'est traité avec plus de mépris [qu'en Angleterre] », Lady Mary Wortley Montagu se rendit sur le continent, jusqu'en Italie où elle demeura jusqu'en 1761[1]. Cette déclaration n'était sans doute qu'un alibi pour masquer sa quête d'un potentiel amant.

Certaines femmes, au nombre desquelles l'artiste peintre Marianne North, vagabondèrent pour oublier la mort d'un être aimé ; d'autres parce que cela faisait partie de leur devoir conjugal. Eliza Fay, qui écrivit son aventure en Inde, déclara : « J'ai entrepris ce voyage dans le but de protéger mon mari, car si je ne l'avais pas accompagné [...], il n'aurait jamais, jamais, j'en suis convaincue, atteint le Bengale[2]. »

La religion fournissait un autre prétexte au voyage. De nombreuses femmes, dont la princesse Caroline citée plus haut, entreprirent le pèlerinage périlleux de Jérusalem ; d'autres – notamment Mme G. Albert

Rogers, auteur d'*Un hiver en Algérie* (1865) – distribuaient audacieusement des textes religieux pendant leurs vacances.

Son invalidité fut en partie ce qui propulsa l'indomptable Isabella Bird dans le monde entier ; Lucie Duff Gordon migrait chaque hiver en Égypte, et finit par s'y installer, pour soigner sa tuberculose. L'intense désir de quitter le froid et l'humidité du Nord pour la chaleur et les parfums du Sud paraissait quasi universel.

Mais la meilleure raison de voyager était encore de n'en avoir aucune. Ida Pfeiffer passa son adolescence à rêver de la grand-route. Mary Shelley considérait le voyage comme une passion dévorante, incompréhensible pour qui ne la partageait pas.

Les femmes anglaises, plus qu'aucunes autres, s'adonnèrent à cette passion. C'est pourquoi elles se devaient ici d'être fortement représentées. La *Quarterly Review* déclarait : « Les autres nations ne possèdent pas ces sortes de femmes cultivées, à la pensée solide, au pied léger, à la taille fine et au chapeau de paille, aimant dessiner, éduquées avec le raffinement des classes supérieures et l'efficacité des femmes du peuple[3]★. »

Cela ne veut pas dire que les femmes du continent ne voyageaient pas ; elles le faisaient, et en grand nombre, car les Européens, comme les Britanniques, parcouraient le globe par goût de l'aventure et en raison du colonialisme.

Mais ce désir de voyager n'était pas universel. Frances Calderón de la Barca, née en Écosse, expliquait que les Mexicaines se sentaient en Europe comme en exil, et attendaient avec impatience de pouvoir rentrer au pays natal. On rapporta à Harriet Martineau que l'on avait pitié des Européennes en Égypte, précisément parce qu'elles voyageaient. Pourtant, Lucie Duff Gordon vit à Asyut une jeune femme égyptienne qui avait choisi à la fois de s'habiller comme un homme et de voyager ; elle n'était pas la seule[4]. Flora Tristan, qui se rendit au Pérou dans les années 1830, écrivit que les femmes de la ville d'Arequipa « saisissaient avec joie toute occasion de voyager […] et que ni le coût ni la fatigue ne les faisaient reculer[5] ». Dans quelle mesure disait-elle vrai, nous le verrons lorsque nous rencontrerons la Péruvienne Isabella Godin des Odonais.

Les Américaines du Nord circulaient elles aussi beaucoup. Isabella Bird se qualifiait de « misérable va-nu-pieds boiteuse et mal

★ Description quelque peu idéalisée. Certaines voyageuses anglaises, comme Fanny Trollope, bien que cultivées, étaient rondes plutôt que minces, et ne marchaient pas d'«un pas léger», mais «à larges enjambées comme en sont seules capables les femmes anglaises».

fagotée»; comparée à Miss Karpe, sa compagne du moment sur les îles Sandwich, elle était «la voyageuse américaine typique comme on la rencontre des Andes aux pyramides, infatigable, d'une indomptable énergie, d'une endurance spartiate, et possédant le génie de pouvoir parvenir à ses fins en toutes circonstances[6]». Pour quelles raisons les femmes anglaises voyageaient-elles autant? Les Britanniques s'avéraient être de grands migrateurs et colonisateurs, comme en témoignent amplement les étendues de couleur rose sur les cartes du monde du XIXe siècle. En 1894, Marie Dronsart associait cette manie du voyage à l'esprit d'aventure qui animait tous les Britanniques[7]. Mais il se pourrait que la plus grande incitation soit venue de la lecture de récits de voyages. En multipliant les livres sur le sujet, les femmes voyageuses parvenaient à abattre les barrières qui les avaient jusqu'alors retenues.

Saisir le rôle de ces récits de voyage est essentiel pour comprendre le phénomène des femmes voyageuses du XVIIe au XIXe siècle. Ils ne relatent pas seulement leurs aventures, mais témoignent aussi de leurs attitudes à l'égard des hommes, des autres femmes et des autres cultures. Ces auteurs féminins faisaient part de leur opinion sur les événements politiques, les mécanismes du voyage et de la société dans des pays étrangers, comblant les vides laissés par les observateurs masculins. Par leurs ouvrages, elles contribuèrent au développement des voyages.

Ces écrits étaient un moyen de justifier leurs loisirs et de les rendre productifs, mais aussi de distraire ceux qui étaient restés chez eux. Leurs livres finançaient de nouveaux voyages et témoignaient de leur intérêt pour ce qu'elles avaient vu. Une femme écrivant un récit de voyage était encore chose rare au XVIIIe siècle; mais, dès 1817, comme le confia Eliza Fay, elles étaient si nombreuses qu'elles n'étaient plus «objet[s] de dérision[8]». En 1845, certaines d'entre elles étaient même considérées comme professionnelles. Mais la *Quarterly Review* refusait de rendre compte d'ouvrages écrits par des femmes qui systématiquement «faisaient un voyage pour faire un livre». Elle faisait au contraire l'éloge d'amateurs qui tiraient avantage «de l'absence même de dessein, résultant de la nature hasardeuse de [leur] éducation[9]». Toutes ne désiraient pourtant pas signer de leur nom; des dizaines de livres étaient anonymes, ou signés «Une lady», comme les *Lettres d'une dame ayant résidé plusieurs années en Russie* (1775) de Mme Vigor, ou «Une résidente», nom que s'attribuait l'auteur de *La Femme anglaise en Inde* (1864).

Peut-être les Européennes considéraient-elles leurs activités comme trop insignifiantes pour faire l'objet d'un livre, ou bien les éditeurs prêts à accepter leurs œuvres étaient-ils moins nombreux. On comptait cependant quelques exceptions : la Française Jane Dieulafoy, Isabelle Eberhardt de Suisse, Johanna Schopenhauer d'Allemagne, Ida Pfeiffer d'Autriche, Lydie Paschkoff de Russie et Cristina di Belgiojoso d'Italie. Pour ajouter à cette carence, très peu des écrits existants ont été traduits. Et les livres non anglais dont les lecteurs eurent connaissance ne firent guère impression sur la *Quarterly Review*. Le périodique se plaignait notamment de l'orthographe des voyageuses françaises, et du fait que les Allemandes voyaient les choses «de l'intérieur» et non «de l'extérieur», d'où leur incapacité à pratiquer «l'observation rapide[10]».

Ida Pfeiffer illustre parfaitement la piètre considération qu'avait la *Quarterly Review* pour les voyageuses de langue allemande. Les commentaires succincts qui étoffent ses livres démontrent pourtant un réel talent à transformer une simple observation en un récit captivant. Pfeiffer dénonçait ceux qui tendaient à exagérer

Nous avons eu *La Femme anglaise en Russie*, *La Femme anglaise au Tibet*, *La Femme anglaise en Amérique*, et la femme anglaise dans presque tous les coins perdus du globe. Si nos belles compatriotes poussent encore plus loin cette manie du voyage, la plus grande nouveauté que pourront nous donner nos éditeurs sera *La Femme anglaise en Angleterre*. – *Punch*[11].

VÉRITABLE EXTRAIT DE VIANDE LIEBIG   VÉRITABLE EXTRAIT DE VIANDE LIEBIG

*Cartes publicitaires Liebig
éditées vers 1880,
montrant des femmes
parcourant tous les coins
du monde à la mode :
Athènes, Yalta, l'Algérie
et Le Caire ne sont
que des exemples.
Les cartes devaient inciter
les voyageurs à emporter
le produit partout
où ils allaient.*

*Annie Brassey faisant du
troc avec des Fuégiens.
Personne ne semble
préoccupé par leur absence
quasi totale de vêtements.*
Brassey, 1878, 22.

leurs mésaventures pour en faire des histoires plus spectaculaires. Sa description de tentatives de meurtre perpétrées à son encontre dans la jungle brésilienne, comme ses évocations des chasseurs de têtes de Bornéo, sans enjolivure aucune, accrurent sa popularité auprès des amateurs de littérature de voyage.

La formule était déjà vraie à cette époque : plus le voyage était excitant, meilleures étaient les ventes. Si les frissons manquaient, le sarcasme les remplaçait. La voyageuse anglaise Frances Elliot écrivit plusieurs livres « décapants » dans sa série *La Flâneuse*. Sous sa plume, jamais l'Espagne, l'Italie et Constantinople ne parurent plus hideuses, mais jamais les livres ne se vendirent si bien. Domestiques paresseux, aubergistes malhonnêtes et autres rustres y côtoyaient la vermine, noyés dans la poussière.

Les puces, comme les ivrognes, étaient des thèmes sûrs, donc récurrents. Malheureusement, la plupart des femmes s'abstenaient d'inclure des détails qui les auraient montrées sous un mauvais jour. Parce que leurs livres prenaient généralement la forme d'un journal ou de lettres, fréquemment remaniés ou écrits après coup, il était facile d'omettre des détails concernant l'hygiène, ou pire, la diarrhée. Lady Montagu scandalisa ses lecteurs en décrivant l'intimité du harem turc, et en faisant allusion à ses propres corsets. Presque cent cinquante ans après la parution de ses *Lettres* (1875), Lady

HIVER AUX PAYS DU SOLEIL. Promenade a dos de chameau sur la côte algérienne.

HIVER AUX PAYS DU SOLEIL. Les Pyramides vues des environs du Caire.

TABLE EXTRAIT DE VIANDE LIEBIG

VÉRITABLE EXTRAIT DE VIANDE LIEBIG

Charlotte Bury écrivit que jamais personne n'admettrait les avoir lues, «car tout le monde les considère si indécentes que chacun se doit de protéger sa réputation en préservant un minimum de pudeur et en s'efforçant de rougir dès qu'il en est fait mention». Fanny Parks, au contraire, confessa que les œuvres de Montagu l'avaient «rendue très désireuse» de visiter un *zenana*, le harem indien[12].

> ~ En voyage, un homme ne sert qu'à s'occuper des bagages, et je prends toujours soin de ne pas avoir de bagages.
> – Emily Lowe, *Femmes sans protection en Norvège.*

Les réactions quant à la nudité masculine des populations sont rarement mentionnées dans ces écrits de voyage. Les femmes mariées, initiées par leur mari aux merveilles de l'anatomie virile, y étaient peut-être indifférentes, mais quel effet pouvait bien avoir un tel spectacle sur les demoiselles? On sait que l'explorateur Samuel Baker était furieux à l'idée que la jeune et célibataire Alexine Tinne puisse voir des Nubiens totalement nus, mais on ne dispose d'aucune trace de ce qu'elle en pensait. Femme d'expérience, Mme Olympe d'Audouard se disait stupéfiée de voir l'indifférence blasée des femmes anglaises à l'égard de la nudité des Égyptiens; elle s'attendait à ce qu'elles en soient indignées. Mais toute allusion à la nudité faisait son effet et captivait l'attention des chroniqueurs et des lecteurs[13].

Ces dames désireuses de devenir écrivain, jonglant avec parasols et carnets tout en escaladant des ruines, donnèrent lieu à quelques satires, au nombre desquelles *Zézaiements des basses latitudes* (1863)[14]★. Un compte rendu de l'époque le classa comme étant «une description exagérée» de «ces femmes qui insistent pour aller dans des

---

★ L'ouvrage était, pense-t-on, une parodie du livre de Lord Dufferin, *Lettres des hautes latitudes* (1857), sur ses voyages en Islande, mais, apparemment, il n'en prit pas ombrage, puisqu'il l'aurait relu et corrigé, d'après l'annonce de l'éditeur.

Bell Smith à l'étranger (1855), par Piatt (Mme Louise Kirby), ou la contribution d'une Américaine à la littérature de voyage humoristique.

pays où elles n'ont rien à faire, pour porter des vêtements qu'elles ne devraient pas porter (sous pareilles latitudes), qui s'en vont sans protection, et qui choisissent un guide sur sa bonne mine, en cédant à des impulsions romanesques et non en suivant les conseils de leurs amis, comme l'exigerait le bon sens[15]».

La contribution de femmes comme Isabella Bird, Mary Kingsley et Anne Blunt à l'exploration du monde est incontestable. La Royal Scottish Geographical Society admit Bird et Kingsley parmi ses membres, tandis que les Français accueillirent Lydie Paschkoff et Ida Pfeiffer. Les membres de la London Royal Geographical Society, quant à eux, en détestaient la seule idée, mais ils furent contraints en 1892 d'accepter vingt-deux femmes, pour avoir malencontreusement ouvert leur porte aux membres d'autres sociétés savantes. Cette porte allait d'ailleurs vite se refermer, après que Bird, Kate Marsden et May French Sheldon s'y furent faufilées. George Curzon, qui avait rencontré Bird sur le Tigre en 1889, et qui semblait avoir une bonne opinion de son travail, se montra pourtant particulièrement hostile : «Leur sexe et leur formation les rendent pareillement inaptes à l'exploration, et le genre de globe-trotters professionnels féminins avec lequel l'Amérique nous a familiarisés est l'une des horreurs de la fin du XIXe siècle.» Les femmes furent finalement admises dans la Société en 1913[16].

Néanmoins, toutes les femmes dont il est question dans ces pages n'étaient pas héroïques. Certaines, comme l'exilée polonaise Ève Félinska, étaient même timorées ; leurs évanouissements à la moindre émotion ont sûrement contribué à la mauvaise réputation de la gent féminine dans le monde entier. D'autres, comme Lydie Paschkoff, avaient un sens du confort si particulier qu'elles transportaient des vêtements pour chaque occasion, et avaient avec elles des bonnes pour les aider. Elles se déplaçaient accompagnées de formidables caravanes. Paschkoff était également vaniteuse, tout comme Carla Serena et Eliza Fay. Leur étroitesse d'esprit était parfois inexcusable même pour l'époque, même si certaines – Isabella Bird, par exemple – parvinrent à surmonter leurs préjugés.

Un livre comme celui-ci n'aurait pas de fin si l'on ne s'imposait quelques restrictions arbitraires. J'ai dû me faire à la regrettable idée qu'il m'était impossible d'inclure chacune des voyageuses ; j'espère que le lecteur me pardonnera si d'aventure j'oubliais celle qui lui tient à cœur. En m'efforçant de maîtriser une documentation volumineuse, je me suis concentrée sur les femmes que leurs voyages ont fait connaître, plutôt que sur celles qui voyagèrent au service d'une cause ou pour leur occupation personnelle. À quelques exceptions près, les missionnaires, les gouvernantes et les émigrantes ne sont donc pas mentionnées.

Je me suis également limitée dans le temps à la période allant du milieu du XVIIᵉ siècle jusqu'à la fin du XIXᵉ. Cela implique que de nombreuses femmes du XXᵉ siècle, telles que Gertrude Bell, Freya Stark, Dervla Murphy et Ella Maillart, soient exclues. Je n'ai pas pu non plus me plonger au cœur des vies individuelles autant que je l'aurais souhaité. Toutefois, les biographies de certaines de ces voyageuses sont dignes d'être lues. Mon intention n'est pas de faire double emploi avec ces livres, mais plutôt de considérer ces femmes – aussi bien célèbres qu'anonymes – dans le contexte du voyage tel qu'il se pratiquait à leur époque, et particulièrement grâce aux illustrations et photographies de voyage.

J'ai divisé ce livre en régions pour aider le lecteur à visualiser ce monde autour duquel les femmes voyageaient. Ainsi, des expériences communes à certaines d'entre elles – comme escalader les pyramides – sont décrites sous différents angles, car ces divergences sont souvent plus révélatrices de la personnalité de la voyageuse que de sa destination. Nombre de ces vagabondes défient les règles de la logique et surgissent là où l'on s'y attend le moins. Les «zigzagueuses» du tour du monde – Marianne North, Isabella Bird, Ida Pfeiffer et Lola Montez, par exemple – se révèlent particulièrement difficiles à saisir, à l'image de leur vie.

Les femmes globe-trotters de ce livre, associées à toutes celles dont on ignore le nom, ont abattu des frontières, laissant en héritage un monde grand ouvert pour les femmes d'aujourd'hui. Mais pareils exploits suscitent une question : à quel moment la place d'une femme a-t-elle été au foyer ?

Note : En dehors des citations, j'ai choisi, pour les noms de lieux, l'orthographe actuellement en usage, suivant le *Merriam Webster's Geographical Dictionnary*. Lorsque le Webster m'a fait défaut, j'ai eu recours à l'édition complète du *Time Atlas of the World*. Quand ni l'un ni l'autre ne me portait secours, j'ai utilisé le nom soumis par l'auteur. Enfin, lorsqu'un nom a totalement changé – par exemple Constantinople devenu Istanbul –, j'ai conservé l'original.

DOUBLE PAGE SUIVANTE :
Seule une femme intrépide reste impassible lors de la traversée tumultueuse du Havre à Honfleur sur un bateau à vapeur français.
M. Biard, *ILN*, 19 septembre 1863, 285.

J. RUE SCRIBE.
PARIS.

Louis Vuitton

149, New Bond St.

OPPOSITE CONDUIT St.

LONDON. W.

TELEGRAPHIC ADDRESS.
"VUITTON, LONDON."

L.V. London

L.V. London

L.V. London

Travelling Requisites

Diligences, douaniers et guides

C'EST AVEC 60 LIVRES que Mary Godwin (future Shelley), son amant Percy Bysshe Shelley, et sa belle-sœur Claire Clairmont partirent à pied de Paris en 1814, en direction de la Suisse. Ils firent l'énorme dépense d'un âne pour Mary, vraisemblablement enceinte à l'époque. Malgré la mise en garde contre d'anciens soldats de Napoléon qui pouvaient courir la campagne à la recherche de femmes à attaquer, les voyageurs ne rencontrèrent pas de difficultés, si ce n'est la cheville foulée de Shelley, qui obligea l'âne à porter le seul homme du convoi. Il leur fallut douze jours pour arriver à Neufchâtel, où ils purent se laver pour la première fois depuis leur départ[1].

Si Godwin et Shelley avaient eu davantage d'argent, ils auraient pu acheter ou louer un coche et des chevaux. La riche Lady Elizabeth Craven, qui voyageait à la fin des années 1700, recommandait à une amie : « Emmenez aussi peu de domestiques que possible ; conduisez votre propre phaéton, et prenez une autre chaise pour les enfants ou les servantes[2]. »

Jusqu'à l'arrivée des trains de passagers[3]★, le voyageur européen moyen se déplaçait en diligence, en coche ou en chaise de poste. Aux relais de poste, les chevaux fourbus étaient remplacés par des chevaux plus alertes, et les voyageurs pouvaient prendre une collation et dormir. Les diligences n'étaient guère connues pour leur confort. Mais ce système, adopté à travers toute l'Europe vers le milieu des années 1700, facilitait les déplacements. Il avait également cours, sur des itinéraires limités, en Russie, au Mexique, en Amérique du Nord, en Afrique du Sud, en Inde et au Moyen-Orient.

À ces diligences (six à huit sièges sur quatre roues), s'ajoutaient les chaises de poste (deux à quatre places assises sur quatre roues), les chars à bancs (des véhicules à quatre roues avec banquettes), les calèches (quatre places assises sur deux roues), ainsi que diverses sortes de chariots et d'attelages citadins.

➤ Quand vous voyagez en coche, évitez les femmes, surtout les vieilles femmes, elles veulent toujours les meilleures places.
– E. S. Bates[4].

Une publicité pour les bagages Louis Vuitton témoigne de l'élégance de certaines voyageuses.
Orient Pacific Line Guide, Londres, Sampson, Low, Marston, 1901, IV.

★ Les premiers trajets avec passagers en nombre limité commencèrent en Angleterre en 1825-1826 ; l'Autriche-Hongrie suivit un ou deux ans plus tard et, vers le milieu des années 1850, la plupart des pays d'Europe étaient bien desservis par le rail.

Les routes n'étaient pas à la hauteur de nos équipements actuels. Au mieux, une voyageuse était régulièrement projetée sur les genoux de son voisin ; au pire, les accidents se répétaient avec une fréquence tragique. Lady Montagu était sans doute bien consciente du danger, alors qu'elle roulait, en 1717, vers Constantinople (Istanbul) :

> Nous longeâmes, à la lumière de la lune, les effrayants précipices qui séparent la Bohème de la Saxe, au fond desquels coule l'Elbe ; mais je ne pourrais dire que je craignais de m'y noyer, étant parfaitement convaincue que, en cas de culbute, il était totalement impossible d'arriver vivant en bas. En de nombreux endroits, la route était si étroite que je ne pouvais discerner d'espace entre les roues et le précipice. […] J'aperçus, dans le brillant éclat de la lune, nos postillons dodelinant sur leur selle tandis que les chevaux allaient à plein galop. Alors j'ai estimé tout à fait justifié de leur crier que j'aimerais bien qu'ils regardassent où ils allaient[5].

En l'absence de ponts, non encore construits, on utilisait les ferry-boats pour traverser les fleuves ; quant aux montagnes, avant la percée des tunnels il fallait monter au sommet pour passer de l'autre côté. Sur la route de l'Italie, de Lyon à Turin, l'ouverture du tunnel du Mont-Cenis en 1871 marqua le début d'une nette amélioration ; avant cela, les voyageurs devaient aller à cheval, grimper ou être transportés jusqu'au col à 2 083 mètres. Eliza Fay, qui emprunta cette route en 1779, fut surprise de voir ces paysages montagneux, bien plus présents qu'elle ne s'y attendait. Se hissant à la hauteur des circonstances, elle écrivit : « Étant heureusement très courageuse, vous le savez, je dépassai sans peine toutes les difficultés[6]. » Son ascension s'effectua sur le dos d'une mule qui s'approchait obstinément du précipice ; elle fut donc soulagée d'emprunter une chaise à porteurs pour la descente. Les bagages, de même que les véhicules, durent être transportés de la sorte.

Dès les années 1820 apparurent les premiers agents de voyage, connus en France sous le nom de *voiturins*, en Italie, *venturini* et en Allemagne, *Lohnkutscher*. Ils prenaient en charge le transport, le logement et la restauration des voyageurs et, pour une somme convenue à l'avance, allaient jusqu'à les accompagner. En 1840, Mary Shelley engagea un *venturino* pour la conduire de Milan à Genève en passant le col du Simplon. Elle

La vision artistique d'une jeune fille « bravant la brise » pendant la traversée de la Manche.
R. Taylor, *ILN*, 23 août 1884, 188.

eut pour compagnes de
route trois sœurs écos-
saises, qui suffirent à ren-
forcer sa conviction quant
à l'indépendance de ces
femmes. Lorsque l'état des
routes de poste s'améliora
et que la circulation devint
plus intense, les voiturins
suisses passèrent très vite
pour des escrocs[7].

Les formalités aux fron-
tières étaient un supplice,
même si, selon Shelley, les
agents des douanes se laissaient facilement corrompre,
à peu près partout sauf en
Allemagne. La plupart des
biens personnels, comme
les livres, le linge de maison
et la vaisselle étaient sujets
à taxation, voire confis-
qués. Lady Craven n'avait
pas de temps à perdre aux
frontières : « Il est ridicule
d'entendre les questions que vous posent les gardes aux
villes frontières : Quels sont vos nom et qualité ? Êtes-
vous mariée ou célibataire ? Voyagez-vous pour le plaisir ou pour vos affaires ? – Cela me rappelle […] un
voyageur à qui l'on demandait son nom et qui répon-
dit : "Boo-hoo-hoo-hoo !" "S'il vous plaît, monsieur, lui a demandé
le garde, comment écrivez-vous cela ?" […] Il est impossible de
répondre à des questions aussi absurdes avec sérieux. »

« L'ouverture du tunnel du Mont-Cenis ; la ville de Susa. »
ILN, 23 septembre 1871, 280.

Les douaniers étaient des voleurs, bien que moins téméraires
que les contrebandiers ou les brigands de grand chemin. En 1659
Lady Ann Fanshawe – protégée par dix soldats – se rendit de Calais
à Paris pour y retrouver son mari. Ils rencontrèrent une troupe
d'une cinquantaine de soldats armés à qui son escorte réussit à faire
rebrousser chemin. Lady Ann demanda au commandant pourquoi
ses soldats voulaient les voler et s'entendit répondre : « Notre pays est
pauvre, et nous l'enrichissons de cette façon. Mais nous n'attaquons

jamais les voyageurs accompagnés de soldats.» Quatre-vingts ans plus tard, Lady Montagu constatait que le banditisme était en voie de disparition et qu'il était possible de «traverser le pays avec la bourse dans la main[9]».

L'Europe était faite d'un entrelacs confus de royaumes, territoires et pays. Avant 1848, la confédération germanique à elle seule comprenait l'Autriche-Hongrie, les royaumes de Bavière, Wurtemberg, Saxe, Hanovre et Prusse et quantité de duchés, principautés et villes libres. L'Italie, après le congrès de Vienne de 1815 et jusqu'en 1848, comprenait les royaumes de Sardaigne et des Deux-Siciles, les États du pape et les duchés de Lucques et de Toscane. L'Autriche et la France se partageaient le contrôle de l'Italie du Nord[10].

Pour ajouter au chaos, l'Europe, de 1789 à 1849, connut un bouleversement constant. De 1799 à 1815, Napoléon entraîna dans la guerre la France, l'Espagne, l'Italie, l'Angleterre, la Russie et l'Égypte. Puis, la guerre franco-prussienne, de 1870-1871, jeta les deux pays dans un conflit qui se prolongea en France avec le soulèvement de la Commune de Paris. Sur d'autres fronts, la guerre de Crimée (1853-1856) et la guerre civile américaine (1861-1865) furent elles aussi

dévastatrices, non seulement sur les champs de bataille, mais encore en raison des épidémies, famines et troubles sociaux qu'elles causèrent, sans parler des carences en matière de transport et de logement, dues aux exigences militaires.

La guerre ne suffit pas à décourager Lady Emmeline Stuart Wortley. En 1848, elle traîna sa fille Victoria, jeune et fragile, aux quatre coins du continent, incitant son biographe à se demander si « des expéditions aussi épuisantes » étaient la manière la plus efficace de rendre la santé à une enfant. Lady Charlotte Schreiber était une autre voyageuse intrépide. Collectionneuse de porcelaines, elle roula à travers tout Paris dans une carriole de marchand, à la recherche de bonnes affaires, en pleine guerre contre la Prusse, au

mépris des avertissements. Louisa May Alcott, qui prit soin des soldats américains pendant la guerre civile, ne se priva pas d'accompagner en France, en 1870, son ami invalide[11].

Les guides de voyage sous forme de livres étaient précieux pour
connaître les formalités aux frontières, les moyens de transport dis-
ponibles, les coûts et les dangers. *Informations pour les pèlerins en Terre
sainte* (1498) fut un des premiers guides imprimés en anglais. Durant
les années 1700, les guides, au nombre desquels *Instructions pour les
voyageurs* de Tucker (1757) et le *Guide des voyageurs* de Reichard (1793),
se multiplièrent. Les *Voyages sur le Continent* de Mariana Starke (1820),
par la suite appelés *Voyages en Europe*, furent très utilisés et souvent
réédités. Lorsqu'elle explora Naples en 1843, Mary Shelley se servit de *Voyages*, jugeant l'ouvrage «à la fois exact et bien écrit». Elle
emporta également un exemplaire de *Manuel de Murray pour les voyageurs sur le Continent*, dont la première édition était parue en 1836,
relevant avec délectation les erreurs tout en ajoutant ses propres
conseils[12]. Rapidement, *Murray* fut en mesure de couvrir toutes les
régions visitées par les anglophones.

En 1839, Karl Baedeker publia un guide du Rhin en allemand.
Très vite, il s'intéressa au lectorat français. En France, les guides
d'Adolphe Joanne, publiés pour la première fois en 1841 en même
temps que ses *Guides diamants* de format plus maniable, devinrent
par la suite les *Guides bleus*.

Le nom de Cook était lui aussi très connu des voyageurs. Cette
compagnie créée en 1841 à l'initiative de Thomas Cook commença
par proposer de simples excursions autour des îles Britanniques et
se développa rapidement, jusqu'à répondre à la quasi-totalité des
besoins des touristes. Elle couvrit le continent en proposant des
voyages d'abord à Paris, puis dans les Alpes suisses. En très peu de
temps, Cook escorta des voyageurs dans tous les coins du monde.
Mais pour autant que je sache, aucune des femmes dont il sera question ici ne bénéficia de ses services.

TRAVELS IN EUROPE,

FOR THE USE OF

TRAVELLERS ON THE CONTINENT,

AND LIKEWISE IN

THE ISLAND OF SICILY;

NOT COMPRISED IN ANY OF THE FORMER EDITIONS.

TO WHICH IS ADDED

AN ACCOUNT OF THE REMAINS OF ANCIENT ITALY,

AND ALSO OF THE ROADS LEADING TO THOSE REMAINS.

BY MARIANA STARKE.

L'auteur de ces pages, convaincue de l'impossibilité de rédiger un compte-rendu exact de la géographie et des curiosités antiques d'un pays sans les avoir examinées elle-même et souhaitant d'autre part, par respect pour son public, n'être pas considérée comme un guide de mauvais conseil, a ces derniers temps visité toute l'Italie, et en particulier les régions négligées des voyageurs des temps modernes. Ceux-ci apprendront avec satisfaction que tous les paysans, les marchands et les ouvriers qu'elle y a rencontrés étaient polis, honnêtes et bien disposés envers leurs dirigeants, tant et si bien qu'un voyageur peut emprunter les hautes routes et pénétrer jusque dans les recoins les plus retirés des Alpes en toute sécurité, sans crainte d'être dérangé par une émeute populaire ou attaqué par des banditti. *− Mariana Starke*[13].

PARIS,

PUBLISHED BY A. AND W. GALIGNANI AND Cº.,

18, RUE VIVIENNE.

—

1839.

Europe
En voyage avec la gent féminine

EN 1785, LADY CRAVEN arriva sur le continent, expulsée d'Angleterre par son mari, le comte de Craven, pour adultère. Belle, vaniteuse, cultivée et provocante, Lady Craven avait épousé le futur comte à l'âge de seize ans, en 1767. Des rumeurs de liaison se répandirent en 1773 et, bien que son mari fût loin d'être lui-même un modèle de vertu, il ne toléra pas que l'incartade de son épouse soit relatée dans la presse et liée à une «célèbre maison de récréation charnelle». Il l'exila à la campagne, mais la laissa bientôt revenir à la maison. Lorsqu'elle fauta une nouvelle fois, dix ans plus tard, il la jeta hors du pays[1].

Lady Craven s'établit alors brièvement à Versailles, où elle rencontra son futur second mari, le margrave d'Anspach; mais elle ne tarda pas à se lancer sur les routes avec Henry Vernon, un homme riche et disponible. Elle et son «cousin» Vernon partirent d'abord pour l'Italie, l'Autriche, la Pologne et la Russie, puis, se dirigeant vers le sud, traversèrent la Crimée avant d'arriver à Constantinople. En octobre 1786, elle rentra en Angleterre et écrivit *Un voyage à travers la Crimée jusqu'à Constantinople* (1789)[2].

Cinq mois plus tard, elle se rendit à Anspach pour retrouver le margrave, mais se heurta à l'actrice française Mlle Clairon, maîtresse de longue date du noble Allemand, installée dans les lieux. Elle eut tôt fait de renvoyer sa rivale, mais le margrave, toujours marié, vivait avec son épouse. Celle-ci, selon Lady Craven, accueillit favorablement la nouvelle romance. Le couple doublement adultère visita l'Italie en 1789-1790, et se maria au Portugal en 1791, après la mort de leurs conjoints respectifs. Ils parcoururent l'Espagne, traversèrent rapidement la France déchirée par la Révolution, puis s'installèrent en Angleterre où ils donnèrent de somptueuses réceptions. Après quelques

≫ En l'an 747, le missionnaire britannique saint Boniface fut horrifié de découvrir des prostituées anglaises infestant la route des pèlerins entre la France et l'Italie. Il pressa le clergé d'interdire le pèlerinage à Rome aux «matrones et femmes voilées» car trop rares étaient celles qui terminaient le voyage sans tomber dans l'abîme de l'immoralité. Malgré l'indignation de Boniface, l'Église ne put empêcher les femmes d'aller à Rome, et certaines parvinrent jusqu'en Terre sainte. De toute évidence, même en ces temps reculés, les femmes voyageaient en assez grand nombre pour que cela se remarquât[3].

Anne Louise Germaine de Staël.
J. Champagne, non daté.

Lady Elizabeth Craven.
Craven, frontispice.

années de stabilité, ils visitèrent Paris et Vienne en 1801-1802.

Peu après la mort du margrave, au début de l'année 1806, on vit Lady Craven en compagnie de Louis XVIII et de Ferdinand IV d'Italie. Elle mourut en 1828 à l'âge de soixante-dix-huit ans, et fut enterrée au cimetière anglais de Naples.

Lady Craven, comme Lady Montagu avant elle, lançait les modes. Non seulement elle considérait qu'elle avait parfaitement le droit de voyager, mais, de toute évidence, elle prenait plaisir à le faire. Ses exploits bien connus du public, sans nécessairement inciter d'autres femmes à faire leurs bagages et à quitter leur foyer, contribuèrent certainement à asseoir l'idée que les femmes étaient capables de voyager aussi facilement que les hommes. Les déplacements de Lady Craven s'étendirent à toute l'Europe, jusqu'à Constantinople ; la plupart des voyageuses européennes dont il sera maintenant question ont limité leurs excursions à quelques pays spécifiques.

FRANCE

Frances (Fanny) Trollope, dans son livre *Paris et les Parisiens* (1836), résuma l'attitude des Britanniques envers la France en rapportant une conversation entendue dans le port de Calais : « "Quelle odeur épouvantable !", dit un étranger non initié, en enveloppant son nez dans un mouchoir de poche. "C'est l'odeur du continent, monsieur", répondit l'homme d'expérience[4]. » Pour ces voyageurs, la campagne française était vécue comme une épreuve à subir afin de gagner Paris ou l'Italie.

Les hôtels français étaient la hantise de leurs visiteurs. Lady Bury exprima sa frustration en 1814 : « Toutes les auberges dans lesquelles je suis descendue [...] sont sordides, elles sont tout juste assez bonnes pour la survie de l'espèce animale. »

Europe.

Atlas pratique Phillips, vers 1897.

Elle reprochait surtout le manque d'intimité. Mais au Mulet Blanc, dans la ville de Vienne, un aubergiste grossier la fit payer plus cher qu'il ne devait, en disant à sa servante que «les Anglois [*sic*] lui avaient causé de grands torts, et qu'ils devaient payer pour cela». Le prix des hôtels semblait changer en fonction des moyens du voyageur, ce qui conduisit Lady Craven à envoyer un domestique en éclaireur pour marchander. La table d'hôte comptait parmi les aspects désagréables des hôtels français, pour le beau sexe tout du moins : il s'agissait d'une grande table autour de laquelle tous les pensionnaires s'asseyaient et se servaient pêle-mêle. Lady Montagu paya le double du prix dans un hôtel pour se faire servir dans sa chambre et échapper à la sauvagerie des repas[5].

Parvenue saine et sauve, une voyageuse pouvait trouver à Paris d'innombrables distractions. Le jour où, en 1770, la princesse russe Dashkov put se joindre à une visite collective de Versailles pour voir Louis XV et sa famille dînant sous le regard de tous fut l'un des grands moments de son séjour. Mais la morgue était un spectacle

À GAUCHE :
Lady Charlotte Bury.
Alexander Blaikley, Bury, vol. 1, frontispice.
PAGE CI-CONTRE :
Voudriez-vous partager
une chambre avec
Laurence Sterne,
*auteur d'*Un voyage
sentimental à travers
la France et l'Italie ? On
ne donna pas le choix à
cette femme à un relais
de poste en Savoie. Elle
ignorait heureusement
qu'il avait séduit une
femme de chambre
à Paris peu de temps
auparavant.
T. H. Robinson 1897, en regard
de la p. 438.

« *La morgue : la maison des morts de Paris.* »
Frank Leslie's, 6 février 1858, 156.

Lady Sydney Morgan.
S. Lover, Duyckinck, vol. 2, 167.

≫ [La France] semble exister pour que Lady Morgan puisse écrire sur elle…
– William Davenport Adams[6].

encore bien plus prisé, qui attira entre autres Trollope, Eliza Fay et Emma Roberts. Trollope s'enquit un jour : « Existe-t-il, en quelque langue que ce soit, un mot capable de susciter autant de frissons que la morgue ? Haine, revanche, meurtre, chacun de ces mots est terrible ; mais la morgue les dépasse tous, rassemblant en une syllabe l'essence de ce qu'il y a de plus effrayant dans le crime, la pauvreté, le désespoir et la mort[7]. »

Les Anglaises écrivaient beaucoup de livres sur leur voyage en France. Certains d'entre eux, tels que *Voyages d'une demoiselle en France* ou *Promenades d'une dame dans le sud de la France,* restaient l'œuvre d'amateurs. En revanche, Matilda Betham Edwards (*Une année dans l'ouest de la France*, 1879) et Fanny Trollope, déjà mentionnée, firent de leur écriture une activité lucrative. Lady Sydney Morgan rejoignit elle aussi le rang des professionnelles. Elle aimait rapporter qu'elle était née sur un bateau faisant route vers Dublin, en omettant toutefois de préciser en quelle année. Prolifique et financièrement indépendante, Lady Morgan était libre de voyager à son gré. Elle aurait eu un arrangement avec son mari Sir Charles Morgan, qui lui permettait de conserver ses revenus sous son nom. Elle profita d'un voyage sur le continent avec son époux en 1815-1816 pour trouver la matière de son livre sur la France, dans lequel elle s'impliqua totalement. Les huit volumes consacrés à la France (1817) connurent un tel succès que son éditeur lui commanda un ouvrage similaire sur l'Italie[8].

I T A L I E

Quand nous visitons l'Italie, nous devenons ce que l'on reproche aux Italiens d'être – eux qui jouissent des beautés de la nature, de l'élégance de l'art, des délices du climat, des souvenirs du passé et des plaisirs de la société sans devoir se soucier de quoi que ce soit d'autre. – Mary Shelley[9].

Dans les années 1840, au cours de ses deux voyages en Italie, Mary Shelley traversa trois cols alpins : le Simplon, le Splügen et le Brenner. Elle aurait pu passer par le Mont-Cenis ou le Grand-Saint-Bernard ; ou encore, par mer, de Nice à Gênes ou Livourne. Mais chacune de ces options comportait des inconvénients. Les cols étaient physiquement éprouvants, et le passage par mer souvent ralenti par le mauvais temps. Une fois arrivée, Mary Shelley, comme la plupart des visiteurs, savait avoir atteint une destination très particulière, depuis longtemps célébrée par les peintres et les écrivains[10].

Mary Shelley.
Romance of Mary Shelley, Londres,
Bibliophile Society, 1907,
en regard de la p. 12.

De tous les voyageurs anglais, Lord Byron était sans doute celui qui avait le plus contribué à faire de l'Italie un mythe ; d'innombrables jeunes filles avaient lu son «Ode à Venise» et rêvaient d'aller là-bas rencontrer le poète du désespoir romantique. Sa mort tragique en 1824 accentua le prestige de ces lieux.

Parmi les défenseurs de l'Italie la contemporaine de Lord Byron, Mme de Staël, figure intellectuelle française célèbre, romancière et femme adulée de la bonne société ; elle était l'auteur d'un guide peu orthodoxe sur ce pays, le roman *Corinne, ou l'Italie* (1807), un hommage au charme puissant de Rome, Naples et Venise, sous prétexte d'une histoire d'amour entre la belle Corinne, modèle de la vivacité spirituelle italienne, et l'Anglais réservé Lord Nelvil. De Staël fit de son roman un guide touristique sans égal (même s'il était parfois exagérément narcissique), qui nous conduit au Panthéon et à Saint-Pierre, ainsi qu'au Forum et à Pompéi. Elle

Woodville

insuffle la vie à des statues qui sans elle demeureraient muettes, nous emmène dans l'atelier des grands artistes et nous fait percevoir l'esprit même de l'Italie. Si nous pensions connaître l'Italie avant d'avoir lu *Corinne*, nous n'étions probablement que des somnambules.

Mme de Staël avait été contrainte au voyage ; au cours des années révolutionnaires, elle avait vécu hors de France en tant qu'émigrée, puis, une fois Napoléon au pouvoir, en tant qu'exilée. Tout comme Byron, elle était à elle seule l'une des attractions touristiques les plus prisée d'Europe, notamment pour les femmes anglaises. S'il n'était pas possible de la voir en personne, il était de rigueur d'essayer de voir la maison de sa famille à Coppet, près de Genève. Parmi celles qui firent le pèlerinage se trouvait Lady Marguerite Blessington, auteur de *La Flâneuse en Italie* (1839) et de *Conversations avec Lord Byron*, un ouvrage fondé sur l'amitié qu'elle avait nouée avec le poète à Gênes.

Blessington était une chroniqueuse intelligente de la société anglaise à Naples. Elle habitait là-bas une maison luxueuse avec son second mari, l'extravagant Charles John Gardiner, comte de Blessington, de 1823 à 1826, et régnait sur un brillant cercle de poètes, chercheurs, astronomes et dandies. Sir William Gell, archéologue réputé pour être un chambellan de la princesse Caroline, était l'un de ses visiteurs assidus. Gell fit découvrir aux Blessington Pompéi, Herculanum et les alentours, les distrayant avec son humour sarcastique[11]★.

Blessington fit les visites habituelles du Vésuve, des églises et des ruines, ainsi que des sites touristiques plus originaux comme le Grotto dei Cani, où, pour le plaisir des amateurs de sensations fortes, un chien était exposé aux vapeurs toxiques presque jusqu'à la suffocation. Elle alla voir la dépouille du roi de Naples qui venait de mourir, puis visita un asile de fous.

Bien que le titre de son ouvrage souligne l'indolence de la voyageuse (flâneuse et oisive), elle semble bien avoir poursuivi ses activités touristiques sans répit.

〰 Voyager est, quoi qu'on en puisse dire, un des plus tristes plaisirs de la vie. Lorsque vous vous trouvez bien dans quelque ville étrangère, c'est que vous commencez à vous y faire une patrie : mais traverser des pays inconnus, entendre parler un langage que vous comprenez à peine, voir des visages humains sans relation avec votre passé ni avec votre avenir, c'est de la solitude et de l'isolement sans repos et sans dignité.
— Mme de Staël, *Corinne, ou l'Italie*[13].

〰 Il y a des chaises en abondance devant les portes des principaux cafés et [les dames italiennes] s'asseyent et conversent. Car il n'est pas convenable pour une dame d'entrer dans un café. Aussi les Italiennes sont-elles choquées par les Anglaises qui ne saisissent pas la différence entre manger leur glace ou boire leur café en plein air sur la *piazza*, et pénétrer dans l'établissement lui-même.
— Mary Shelley[14].

« *Le touriste à Venise.* »
R. Caton Woodville, *ILN*, 8 octobre 1881, 361.

★ L'ami de Gell, et comme lui ancien chambellan, Keppel Craven, était à Naples, s'occupant de sa mère, Lady Craven, dont nous avons déjà parlé.

Marguerite, Lady Blessington.

H. Wright Smith, *Conversations avec Lord Byron*, Boston, William Veazie, 1832, frontispice.

Elle justifia néanmoins le choix de ce mot : « L'oisiveté, le péché qui guette en ces lieux, s'est emparée de moi. Je n'écrirai plus chaque jour mon journal ; mais je me contenterai d'écrire, chaque fois que l'humeur m'en prendra, ce qui se passe ou ce que je vois. Ô, le *dolce far niente* de la vie italienne ! Qui peut résister à son influence ? Pas moi en tout cas[15]. »

À leur départ de Naples en 1826, les Blessington parcoururent l'Italie en tous sens, puis restèrent à Florence pendant presque un an, et finirent par gagner Paris où ils s'installèrent dans une somptueuse résidence. Mais Lord Blessington eut une syncope et mourut peu après, laissant derrière lui d'énormes dettes. La réputation de Lady Blessington fut aussi quelque peu entachée. On la disait dépensière, comme son mari, et on lui prêtait une liaison avec le mari de sa belle-fille, l'inimitable libertin Alfred, comte d'Orsay, avec qui elle rentra en Angleterre. Pour éponger toutes ses dettes et celles d'Orsay, elle écrivit de nouveaux livres de voyage, dont *La Flâneuse en France* (1841). Son beau-fils et elle n'étaient sans doute pas amants, mais ses contemporains critiquaient sa conduite. Lady Blessington revint à Paris en mai 1849, ses biens ayant été mis sous scellés par les huissiers. Elle mourut un mois plus tard[16].

Dans l'intervalle, Lady Sydney Morgan avait elle aussi écrit un livre sur le pays : *Italie* (1821). Mais là où Blessington s'était installée et avait pris son temps, Lady Sydney était passée à toute allure, gribouillant hâtivement quelques notes. Néanmoins, Byron, tout d'abord dédaigneux, écrivit : « Son travail est audacieux et excellent […] j'aurais aimé qu'elle vienne me voir. » Et Mary Shelley, qui était une amie de Lady Sydney, salua le résultat : « Son livre est très apprécié des Italiens… » Toutefois, il n'en fut pas moins placé dans l'index papal des ouvrages prohibés[17].

D'autres personnalités notoires écrivirent des récits de voyage en Italie, comme Fanny Trollope (*Un voyage en Italie*, 1843) et Frances Elliot. Un chroniqueur du *Journal d'une flâneuse en Italie* (1871), bien que ne trouvant que peu d'intérêt à l'ouvrage, déclara apprécier qu'« elle confesse la grossièreté, la stupidité et la vulgarité de nombreux voyageurs anglais, dont la conduite à Rome est trop souvent honteuse[18] ».

L'ascension du Vésuve fut facilitée par l'apparition, vers 1904, du funiculaire Cook illustré ci-dessus. Mais quatre-vingts ans plus tôt, lorsque Lady Blessington s'y était aventurée, la plupart des touristes faisaient une partie du chemin en chaise à porteurs.

Carte postale du Vésuve. Thomas Cook & Son, vers 1904.

Des chaises, proches de celles que l'on utilise dans les fermes anglaises, et suspendues à des perches, comme celles qui nous ont portés à travers les montagnes depuis Amalfi, étaient là, prêtes à être utilisées. Mais après en avoir essayé une, je trouvai son mouvement si désagréable – les porteurs de chaise glissaient et tombaient pratiquement tous les deux pas en raison des laves et scories s'écrasant sous leurs pieds – que je préférai descendre de mes hauteurs instables. Soutenue par un bras […] et tenue par des courroies de cuir attachées autour de la taille de l'un des guides qui me précédaient, je réussis à grimper, malgré la fatigue et les difficultés ; roulant, comme Sisyphe dans sa tâche, en arrière à chaque pas[19].

LES ALPES

Les Alpes attiraient toutes sortes de voyageurs, et pas seulement les amateurs d'escalade. L'air raréfié était considéré comme tonique pour les tuberculeux, les vallées étaient des paradis pour les passionnés d'histoire naturelle, et les pays alpins – la Suisse et l'Autriche particulièrement – des havres de sécurité et de propreté. Par conséquent les récits de voyages alpins mêlent randonnées en haute altitude et cures de santé.

On peut ranger Henriette d'Angeville au nombre des alpinistes professionnels. En 1838, elle organisa sa propre ascension du mont Blanc, coordonnant les services de douze guides et porteurs pour l'accompagner. Selon leurs écrits de 1869, les sœurs Ellen et Anna Pigeon furent les premières femmes à escalader les Alpes sans le secours d'un seul homme. Élisabeth Le Blond, auteur des *Hautes Alpes en hiver ou les Sports de montagne à la recherche de la santé* (1883), abandonna l'aspect médical pour s'attaquer au mont Blanc à deux reprises, en 1881. Lucy Walker, une professionnelle dont la carrière alpine avait commencé en 1858, fit l'ascension de quatre-vingt-dix-huit sommets en vingt et un ans et devint la première femme à escalader le Matterhorn, en 1871[20].

Élisabeth Le Blond.
D'après une photo de J. Thomson, Dronsart, 371.

Dora d'Istria, née Hélène Ghika à Bucarest, linguiste et historienne talentueuse, décrivit dans *La Suisse allemande et l'Ascension du Moench* (1856) son ascension du Mönch, jamais encore conquis, près de la Jungfrau. Elle évoqua aussi ses difficultés à s'habituer aux vêtements masculins.

Je revêtis mon costume d'homme, auquel j'avais peine à m'habituer. Je me sentais gauche, et il gênait tous mes mouvements. […] Je craignais que les guides ne désespérassent de moi en me voyant broncher à chaque pas. J'étais assez humiliée. Il me fallut de solides raisonnements pour m'empêcher de reprendre mes vêtements de femme. Cependant je m'avisai d'un expédient. Je fis un paquet de mon jupon de soie et de mes brodequins […] afin de m'en servir

À GAUCHE : Dora d'Istria.
Cortambert, en regard de la p. 267.

PAGE CI-CONTRE : « Une victime des Alpes. »
Sous le regard horrifié des grimpeuses, un jeune homme tombe du Doldenhorn, près de Kandersteg. Il fait une chute de 600 m. L'article mentionnait que le nombre grandissant de touristes à la recherche du frisson alpin avait fait augmenter celui des accidents.
Ferma, *La Tribuna illustrata*, 26 juillet 1908, couverture.

Amelia B. Edwards.

Photographie de Kurtz,

Pharaohs, Fellahs and Explorers, New York,

Harper & Brothers, 1891, frontispice.

dans le cas où je me verrais totalement paralysée par ces maudits habits, que je trouvais si incommodes[21].

Le récit que fit Amelia Edwards de son exploration des Dolomites, au sud-est du Tyrol, *Pics jamais foulés et vallées peu fréquentées* (1873), est celui d'un amateur enthousiaste. Edwards, par la suite reconnue comme spécialiste de l'Égypte, partit en juillet 1872 de Venise, accompagnée de «L», la délicate servante de «S», ainsi que d'un homme assez peu courageux qui devait leur servir d'escorte. Le groupe se dirigea, d'abord en train, puis en voiture à cheval, vers Cortina, près de la frontière autrichienne. Là, leur guide décampa, horrifié à la vue des relais de poste tyroliens insalubres et des moyens de transport rudimentaires : «Nos manières de vagabonds étaient plus qu'il n'en pouvait supporter, et il déserta[22]», raconte Amelia Edwards.

Leur guide remplacé, elles poursuivirent leur route. Elles s'établirent à Caprile, lurent les signatures d'alpinistes célèbres dans un relais de poste de Predazzo. Puis, à Pieve di Cadore, elles virent la chambre où, disait-on, le Titien était né. Edwards se réjouissait de l'absence de touristes, même si les voyageurs indépendants qu'elle rencontrait, et particulièrement ses compatriotes, se montraient extrêmement grossiers.

Ces femmes apprirent qu'elles étaient les premières à atteindre Sasso Bianco, le sommet du Monte Pezza. Le Club alpin l'avait considéré comme trop ordinaire, pourtant les touristes l'évitaient car son ascension leur semblait trop difficile. Edwards, exaltée par cette idée, écrivit : «Ces mots "première ascension" sont cabalistiques, et hantent curieusement la mémoire.» Un article de l'époque jugea son livre «agréablement écrit, étoffé d'anecdotes et de remarques féminines, ainsi que d'habituelles indications sur la condition des voyageurs, célibataires ou mariés», soulignant toutefois que, si les Dolomites n'étaient pas encore envahies par les touristes de Cook, elles le seraient bientôt grâce à elle[23].

À l'exception de la zone alpine, l'Allemagne et l'Autriche – comme leurs voisines la Pologne et la Bohème (République tchèque) – ne passaient pas pour des destinations touristiques extrêmement attirantes, même si le livre de Mme de Staël, *De l'Allemagne (*1813), avait donné au pays un certain cachet. Elle y racontait son séjour et son amitié avec Goethe et Schiller. Dans une critique du livre de Lizzie Eden, *Mes vacances en Autriche* (1869), l'Autriche était quant à elle écartée en une phrase : «C'est un pays qui ne comporte guère de mystères, et les Britanniques n'ont pas non plus une grande soif d'informations le concernant[24].»

« Excursion : une morgue suisse. » Outre leurs promenades, les dames allaient aussi voir les cadavres gelés, exposés à des fins d'identification. Side-Lights on English Society, par E. C. Grenville-Murray, Londres, Vizetelly, 1883, 75.

Lors de sa gigantesque tournée en Europe, Lady Craven confia que «les Allemands sont des gens courtois si vous ne faites que passer dans leur pays ; mais si vous y résidez, ils imaginent que vous préparez un plan – un complot – et rien ne peut les faire démordre de cette idée». En 1837, Lady Frances Londonderry prit beaucoup de plaisir à Berlin et à Dresde, notamment en visitant les musées, mais déclara que la cuisine allemande était «un véritable poison[25]».

Les eaux, néanmoins, restaient très prisées. Marienbad, Baden-Baden et Kissingen fourmillaient de visiteurs à la recherche de cures thermales. Si les bains ne suffisaient pas à les distraire, les voyageurs pouvaient encore tenter d'apprendre l'allemand ou, le cas échéant, apprécier les casinos.

ESPAGNE ET PORTUGAL

L'Espagne et le Portugal étaient considérés comme des destinations exotiques, mais les voyages y étaient freinés par les épidémies de choléra, les routes infestées de brigands, et la nourriture indigeste. (Les Anglais détestaient tout particulièrement l'ail et l'huile.) Mais aucun de ces inconvénients n'empêcha Lady Ann Fanshawe de visiter, l'une des premières et à plusieurs reprises, la péninsule Ibérique. Elle et son mari, Sir Richard, ambassadeur d'Angleterre en Espagne, y vécurent durant les années 1647, 1662 et 1664. Selon les critères de l'époque, les Fanshawe voyageaient dans le luxe. Ils étaient admirablement reçus à la table des élites européennes, mais le fait de se

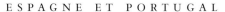

rendre à ces somptueuses réceptions n'était pas sans inconvénient ni danger, sur terre aussi bien que sur mer. Dans un moment critique en 1650, alors qu'un vaisseau pirate s'approchait du sien, Lady Ann écrivit :

> Nous pensions que nous serions tous emmenés en esclavage, car [le capitaine hollandais] avait tellement chargé le navire de marchandises pour l'Espagne que ses canons, bien qu'il y en eût soixante à bord, étaient inutilisables. Il réclama du brandy. Lui et ses hommes, au nombre de deux cents, en burent goulûment, puis il appela aux armes et dégagea le pont autant qu'il le pouvait, résolu à se battre plutôt que de perdre un bateau qui valait trente mille livres. À notre grand regret, mon mari nous exhorta à rester dans la cabine et à ne pas nous montrer, nous les femmes. […] Si les Turcs voyaient des femmes, ils nous prendraient pour des marchands et se lanceraient à l'abordage. […] Ce rustre de capitaine m'avait enfermée à clé dans la cabine. J'ai frappé et appelé longtemps sans résultat, jusqu'à ce que finalement un mousse vienne m'ouvrir la porte. En larmes, je lui ai demandé d'être assez bon pour me prêter son bonnet et son ciré, ce qu'il fit ; je lui donnai une demi-couronne et, ayant ôté à la hâte mes vêtements de nuit, je passai mon nouvel équipement avant de me faufiler discrètement en haut. Je suis restée sur le pont à côté de mon mari, aussi indifférente au mal de mer et à la peur que, je dois le confesser, à l'impudeur de ma tenue[26].

Ann, Lady Fanshawe.
Fiesenger, non daté.

Les voleurs, les marins ivres et les naufrages ne représentaient qu'une partie des difficultés. Lady Ann était fréquemment enceinte et eut, selon les sources, entre quatorze et dix-huit enfants, même si peu survécurent[27].

Lady Ann adorait l'Espagne. Elle y trouvait la nourriture meilleure qu'en Angleterre (même si elle reconnaissait que les bonnes choses se payaient cher), les manières des hommes irréprochables, la beauté des femmes remarquable. « Lorsqu'ils voyagent [les Espagnols] sont les gens les plus conviviaux du monde, partageant toutes sortes de provisions avec leur entourage lors des repas[28]. »

En juin 1666, lorsque Sir Richard, atteint de fièvres, mourut, la reine d'Espagne, Anne, invita Lady

PAGE CI-CONTRE :
La tour Vermillon à
l'Alhambra de Grenade,
Espagne.
Dessin de David Roberts, gravure de
Freebairn, *Jennings Landscape Annual for*
1835, or The Tourist in Spain, par Thomas
Roscoe, Londres, Robert Jennings, 1835.

Ann à demeurer en Espagne, lui offrant une pension généreuse. Mais elle refusa, préférant les risques d'une vie de pauvreté en Angleterre. Les mémoires de Lady Ann ne furent pas publiés avant 1829. Mais, dans l'intervalle, l'une des premières femmes à publier un livre de voyage sur l'Espagne avait déjà monopolisé l'attention des lecteurs. *Voyages en Espagne [etc.]* (1691) par Marie-Catherine Le Jumel de Barneville, comtesse d'Aulnoy, était un ouvrage captivant. L'auteur très célèbre à son époque était surtout connue pour ses contes de fées, *La Chatte blanche* et *L'Oiseau bleu*, et pour son portrait caustique de la vie de cour au XVIIᵉ siècle.

Voyages en Espagne débute par le récit du parcours entre Bayonne et Madrid. Elle enregistre ses observations sur les mœurs et coutumes espagnoles par le biais d'anecdotes rapportées par ses compagnons de voyage. Son récit emprunte aux *Mille et Une Nuits*, chaque escale comportant une morale, une mise en garde contre un danger ou une nouvelle intrigue. Le tout est parsemé de portraits de douaniers et d'aubergistes malhonnêtes, ainsi que de commentaires sur les courses de taureaux, la cuisine et les aléas du voyage en hiver. Cette forme romancée engendra quelques doutes quant à l'authenticité de son voyage, un éditeur au moins étant persuadé que ses aventures espagnoles étaient inventées et que l'essentiel de son livre était tiré d'écrits déjà existants[29].

La vie personnelle de la baronne était sujette à controverses. Vers l'âge de seize ans, elle avait épousé un débauché, le comte d'Aulnoy, et trois ans plus tard, avec l'aide de sa mère et de quelques autres, elle l'avait fait jeter à la Bastille sur une accusation de trahison. Il prouva son innocence, mais deux gentilshommes perdirent leur tête dans l'affaire. Madame d'Aulnoy aurait pris la fuite en Angleterre, puis en Espagne. Elle réapparut à Paris en 1690 et devint l'une des personnalités les plus brillantes de la scène littéraire parisienne[30].

La vie de Janet Schaw, une autre voyageuse, comporte également des zones d'ombre, même si l'authenticité de son récit ne fait aucun doute. Schaw, au moment de son séjour au Portugal en 1775, venait de quitter les Carolines en vue d' échapper à la guerre d'Indépendance alors imminente, pour rentrer chez elle en Écosse à bord du *George*. Elle arriva au port de Setubal, mais avant qu'elle puisse débarquer pour une brève visite de Lisbonne, le bateau fut envahi par des douaniers venus confisquer du tabac. Ils étaient suivis d'officiers sanitaires et d'un représentant de l'Inquisition. Ce dernier visiteur la terrifia, même si le saint représentant se trouvait être un timide jeune prêtre. Janet, son escorte, Fanny Rutherfurd, et leur compagnon de voyage Archibald Neilson – qui, pour sauver les apparences, se faisait passer pour le mari de Schaw –, se rendirent à Lisbonne en calèche et à dos de mule, mais ils furent arrêtés par des agents gouvernementaux qui essayèrent de leur extorquer de l'argent, alors qu'ils s'apprêtaient à traverser le Tage.

À l'étape suivante, la bonne humeur de Schaw commença à faiblir :

La nuit était froide et un léger crachin commençait à tomber. Il faisait si sombre que je perdis tout le plaisir que j'escomptais prendre lors de la traversée du Tage. Nous avions loué la totalité du bateau, mais il était chargé de porcs, de poissons et de denrées à vendre. Nous avions à peine quitté la rive que l'équipage se mit à chanter ses vêpres, et même si la truie avait joint ses grognements au concert, elle n'aurait pas pu le rendre plus désagréable[31].

À Lisbonne, un médecin lui confia : « C'est à croire que les Anglais aiment réellement se faire enterrer à Lisbonne, car ils viennent rarement ici, sauf au moment où ils sont prêts à mettre un pied dans la tombe[32]. » On ne sait pas si Janet Schaw regagna l'Écosse. Ses lettres non publiées ne furent découvertes qu'en 1921.

Le voyage en Ibérie n'était guère plus facile au XIXe siècle. La crasse omniprésente à Lisbonne accabla la poétesse Marianne Baillie qui déclara : « Cela exerce sur mes nerfs un effet si puissant qu'il m'est arrivé de ne pouvoir réfréner des larmes de pur dégoût[33]. »

Les auberges, excepté dans les centres importants comme Madrid, étaient rudimentaires. Et, à Lisbonne, même les hôtels de luxe avaient leurs inconvénients. En 1867, lorsque Isabel et Richard Burton résidèrent au Regal Braganza, leur chambre était déjà occupée par des cafards de plusieurs centimètres de long. Leur seule vue suffit à clouer Isabel sur une chaise, poussant de grands cris. Quand Richard lui dit sur un ton sarcastique : « Je suppose que vous vous trouvez intéressante », elle se ressaisit, bondit sur le sol et entreprit de massacrer les insectes. En deux heures, elle en tua quatre-vingt-dix-sept. Une autre chambre fut donnée aux Burton, et un ou deux jours plus tard, ils s'amusèrent des hurlements du client suivant, Lady Lytton. La chambre d'Emmeline Wortley, une autre locataire, était quant à elle constamment emplie de la fumée des cheminées des maisons du dessous[34].

La saleté était l'une des cibles privilégiées de Frances Elliot dans *Journal des loisirs d'une femme en Espagne* (1884). Comme ses autres livres, il est écrit sur un ton sec et méprisant, mais ses descriptions de scènes de rue, de musées et de gens sont précises et pleines d'esprit, voire sarcastiques. Lors de ses exténuantes visites à Madrid, Séville, Cadix, Malaga, Cordoue, Valence, Alicante, Grenade et Salamanque, elle voyagea en train, omnibus et diligence, survécut à une inondation en route vers Cordoue, et partout elle eut à subir l'inconfort d'hôtels sordides.

Son conseil au sujet des douanes est d'ordre pratique : «Si vous ne voulez pas voir vos biens pillés, vous devrez payer l'officiel au visage mauvais, qui, avec des yeux pleins de convoitise et des doigts crochus, a déjà empoigné les ficelles de vos bagages. Vite, vite! Sortez vite votre bourse et réglez l'affaire!» Sa première réaction à Séville – «Oh, mon Dieu! Comme c'est laid. À tous égards, je n'ai jamais vu ville plus laide. Cela paraît dur d'être venu de si loin pour si peu!» – s'adoucit au cours d'un long séjour. Mais rien ne pouvait réhabiliter Malaga : «Un lieu horrible! Je vous le jure! Un endroit hideux! Rien que soleil, crasse, embouteillages, navires marchands, mauvaises odeurs, cloches à mules, grincements de roues, cris, laideur et poussière[35]!»

Les autres voyageuses n'étaient guère plus indulgentes; du flot envahissant de touristes à l'Alhambra, Elliot écrivit : «Vous vous demandez d'où ils viennent tous, pourtant ils grouillent. Certains se précipitent à peine

Frances Elliot.
D'après une photographie de Maull et Fox,
Dronsart, 257.

arrivés à terre, échevelés et salis par le voyage, le bonnet de travers, portant des manteaux gris ou au contraire des toilettes rouges et vertes avec des plumes de coq assorties; les robes longues, boueuses, traînent sur les délicates dalles de marbre, et tous parlent fort avec des airs agressifs de nouveaux propriétaires[36].»

SCANDINAVIE
Dans son livre *Lettres écrites pendant un court séjour en Suède, Norvège et Danemark* (1796), Mary Wollstonecraft conseillait aux «voyageurs qui voudraient que chaque nation ressemble à leur pays natal de rester chez eux». Cent ans plus tard, Baedeker faisait écho à son sentiment en avertissant «les voyageurs habitués aux hôtels de luxe […] et autres séjours à la mode qu'ils ne trouveraient pas la Norvège à leur goût». Mary Wollstonecraft, mère de Mary Shelley, s'était rendue en Scandinavie dans l'espoir de sauver le bateau de son amant infidèle Gilbert Imlay, et sa cargaison de métal d'argent de contrebande. Ce faisant, elle tentait aussi de sauver quelque chose

de leur relation. Dans son livre, les morceaux choisis de correspondance sont intelligents, posés et réfléchis. Ils sont pourtant bien différents du recueil de lettres personnelles récemment publié. Celui-ci révèle les vrais écueils du voyage – solitude, insécurité et peur – redoublant encore son mérite à traverser ces paysages désertiques[37].

La Scandinavie n'apparaissait pas non plus comme une destination touristique en 1836, au moment où Lady Frances Anne Londonderry, en compagnie de son époux et de son fils, entreprit d'aller visiter Saint-Pétersbourg en passant par le Danemark et la Suède. Ancien ambassadeur d'Angleterre à Vienne, Lord Londonderry s'était vu proposer l'ambassade de Russie, mais il fut contraint de la refuser. Le couple décida quand même d'aller à Saint-Pétersbourg, à titre privé[38].

Ils étaient des voyageurs expérimentés, ayant déjà arpenté Londres, Vienne et l'Italie du Nord. Lady Londonderry tint un journal du voyage, décrivant le plus souvent les affres quotidiennes relatives au choix de la tenue qu'elle devrait porter à tel bal ou tel dîner. Des nombreuses villes qu'ils traversèrent, Stockholm fut sa préférée, même si leur chambre d'hôtel n'était qu'un passage sur lequel tout le monde venait buter. Le musée eut droit à une mention spéciale : «Le petit homme aimable qui vous le fait visiter semble très fier de sa fonction mais totalement inconscient du fait que ce qui est exposé n'a pas le moindre intérêt.» Et, bien qu'on la décrivît elle-même comme «courtaude, de formes et de visage étranges», elle jugea les femmes suédoises, comme d'ailleurs toutes celles des pays d'Europe du Nord, sans grâce et enclines à porter «des tenues particulièrement peu seyantes[39]».

Mary Wollstonecraft.
A. L. Meritt, in *Mary Wollstonecraft*, Londres, C. Kegan Paul, 1879, frontispice.

GRANDE-BRETAGNE

Avant son voyage en Angleterre, la princesse Catherine Vorontsov Dashkov, que nous avons déjà rencontrée contemplant Louis XV en dînant, fut impliquée dans l'assassinat de l'empereur Pierre III. En 1762, l'épouse de celui-ci, la Grande Catherine, avec l'aide de quelques amis, s'était emparée de son trône, avant de le faire assassiner. La jeune Dashkov, âgée de vingt-six ans, dame de compagnie de Catherine, se trouva mêlée à ce complot, peut-être à son insu.

Lorsqu'elle parcourut l'Europe avec ses deux enfants (elle était veuve depuis cinq ans), sa notoriété l'avait précédée, lui donnant accès à la meilleure société, où elle rencontra des écrivains comme Horace Walpole et Denis Diderot[40].

Dashkov voyagea à Berlin, à Londres, puis à travers la France. Son penchant pour la rébellion prit un tour plus léger à l'imposant Hôtel de Russie de Danzig (Gdańsk), où elle fut choquée «par la vue, dans le grand salon, des peintures de deux batailles perdues par les soldats russes, blessés, mourants ou agenouillés devant les Prussiens vainqueurs». Le chargé d'affaires russe n'étant pas disposé à demander la destruction de ces peintures, Dashkov et quelques amis russes se procurèrent des tubes de peinture à l'huile, s'enfermèrent dans la pièce, et «firent échanger aux troupes leur uniforme. Les Prussiens – censés être vainqueurs dans les deux batailles – devinrent des Russes, tandis que les vaincus revêtirent des uniformes prussiens[41]». À Genève, elle rencontra Voltaire et lui rendit visite sur son lit de mort. Elle revint en Russie en décembre 1771, mais repartit de nouveau en 1776, emmenant ses deux enfants à Édimbourg où elle inscrivit son fils à l'université. Au terme de ses deux ans d'étude, elle était en mauvaise santé et menacée de pauvreté. Pourtant, désireuse de poursuivre ses voyages, elle emprunta deux mille livres et visita l'Irlande, Londres et le continent. Après un long voyage en Italie, elle rentra à Saint-Pétersbourg en 1782, avec une collection de quelque quinze mille fossiles, minéraux et spécimens botaniques. Ce fut le dernier des voyages de Dashkov. Elle devint directrice de l'Académie des sciences et présidente de l'Académie des langues russes.

Les textes recensant l'opinion des femmes anglaises sur l'Europe sont si nombreux que l'on prend plaisir à découvrir ce que les Européennes pensaient, à l'inverse, de l'Angleterre. Johanna Schopenhauer, anglophile allemande, n'était toutefois pas aussi critique que ses semblables britanniques. Elle était polyglotte, romancière, mère du philosophe Arthur, amie de Goethe et contemporaine de Mme de Staël.

Ses journaux, qu'elle tint de 1803 à 1805, furent d'abord publiés sous le titre de *Voyage en Angleterre*, évoquant l'itinéraire hasardeux de Johanna Schopenhauer et de son mari à travers les demeures et les parcs d'Angleterre et d'Écosse. Elle visita Peak Caves, près de Chatsworth, où son guide – prenant sans doute son groupe pour des touristes français – fit mine de précipiter l'un d'eux dans l'abîme. Totalement captivée par ce qu'elle voyait, elle mit dans sa poche un morceau de charbon ramassé en souvenir dans une mine, puis revint à la raison lorsqu'on lui refusa l'entrée d'une aciérie : «Il est un fait que lorsque l'on voyage, on a tendance à regarder les choses simplement parce qu'elles se trouvent là. [...] On est simplement guidé par le sens du devoir et on souhaiterait souvent, après coup, ne pas s'être donné tant de mal[42].»

Elle faisait des commentaires sur tout, et les dames anglaises, d'ordinaire les premières à remarquer la rapidité avec laquelle les belles jeunes femmes européennes vieillissaient, auraient peut-être été un peu moins tranchantes si elles avaient lu cette phrase de Johanna : «Les jeunes paysannes et femmes anglaises ont généralement des silhouettes fines, bien qu'avec l'âge elles aient tendance à grossir[43].»

Son mari mourut en 1806, probablement d'un suicide. Les autres livres de Johanna, *Voyage à Paris* et *Excursions sur les rives du Rhin et en Belgique, en l'année 1828*, relatent les voyages qu'elle effectua avant et après sa mort.

Même si l'Europe était propice aux punaises et aux bandits, et abondait en mauvais hôtels, beaucoup de femmes y voyaient une sorte de terrain d'essai où elles pouvaient exercer leur talent de voyageuses tout en se préparant à de plus grandes aventures encore. Au début du XIXᵉ siècle, les femmes avaient largement prouvé qu'elles étaient tout aussi capables de voyager que les hommes. Et c'est avec détermination qu'elles se mirent à penser à des contrées plus lointaines.

Russie
Réaliser l'irréalisable

QUAND, EN 1836, LADY LONDONDERRY et son mari parcoururent au galop la route de poste de Saint-Pétersbourg à Moscou ils furent impressionnés. Régulière et entièrement macadamisée, elle permettait de faire le voyage sur une chaise de poste ou sur un traîneau en seulement cinq jours.

➤ En Russie, voyager ne signifie pas, comme ailleurs, voir de nouveaux paysages.
– Adèle Hommaire de Hell[2].

En route, elle s'émerveilla de l'architecture des auberges. Dans l'une d'elles, la pièce qui lui fut donnée – avec ses parquets, ses somptueuses tapisseries et ses hauts plafonds – lui parut magnifique. Mais à peine fut-elle assise qu'elle sentit des piqûres sur le dos et les jambes. Tandis qu'elle se grattait et se tortillait, des milliers de petits projectiles noirs atterrissaient sur sa jupe, et sa peau se couvrait de pustules rouges. Elle fut aussi infestée de puces et de punaises que la pièce elle-même. Trouver un logement dépourvu de vermine était si difficile que l'impératrice russe aurait pu se dispenser de demander à Lady Londonderry pourquoi elle avait la peau si rouge[1].

Pour les voyageurs européens, la Russie n'était qu'une immensité inconnue, couverte de palais de glace féériques, peuplée de cosaques géants et barbus. Les Londonderry voyageaient dans le luxe, mais ceux qui manquaient d'argent et de relations ne se déplaçaient que très difficilement. Et si le voyage de Saint-Pétersbourg à Moscou était un défi, aller jusqu'en Sibérie paraissait presque inconcevable.

SIBÉRIE

Quelles raisons pouvait avoir une femme d'aller en Sibérie ? Certaines s'y trouvaient en mission, d'autres pour leur travail ; rares étaient celles qui s'y rendaient pour le plaisir. L'exilée politique Ève Félinska, pour sa part, n'avait guère le choix. Elle fut transportée d'Ukraine en Sibérie en mars 1839, les traîneaux se relayant à la façon des diligences. De ce voyage épuisant, elle écrivit : «On était à peine arrivé que l'on repartait déjà, et mon attelage infernal poursuivait sa course au travers des abîmes neigeux. Ni les éléments, ni les obstacles, ni les dangers ne pouvaient modérer

Carla Serena revenant du monastère de Bedia, dans le Caucase.
Y. Pronishnikov, *Tour du monde* 43, 1882, 381.

Le sauvetage d'Ève Félinska.
Durand-Brager, *Tour du monde 6*, 1862, 221.

l'ardeur des postillons : une force surhumaine semblait les pousser en avant[3]. » Accompagnée de son «geôlier» et de deux autres exilées, elle se dirigeait vers l'est au moment de la fonte des neiges, tandis que la route se changeait en boue. Après un mois de voyage, le cortège atteignit Tobolsk, en Sibérie occidentale, où il demeura jusqu'à ce qu'il redevienne possible de traverser la rivière Irtysh, agitée et gonflée par le dégel de printemps.

L'étape suivante nécessitait deux semaines de navigation en descendant le fleuve. Mais ces femmes n'avaient embarqué que depuis quelques jours lorsque Félinska s'assit imprudemment dans un canot de sauvetage mal amarré, et qu'une forte brise poussa à l'eau. L'idée d'être séparée du bateau – ce qu'un autre exilé aurait pu prendre comme une chance inespérée de s'échapper – la paralysa. On la hissa à demi évanouie sur le pont du bateau d'un marchand de farine, prompt à réagir. Elle atteignit sans autre incident vers la fin mai sa destination finale, Berezovo, où elle s'installa dans une maison modeste mais confortable. Félinska fut par la suite autorisée à rejoindre sa famille.

La violoncelliste française Lise Cristiani brava elle aussi la Sibérie, mais en tant que musicienne, non en exilée. Cristiani avait acquis

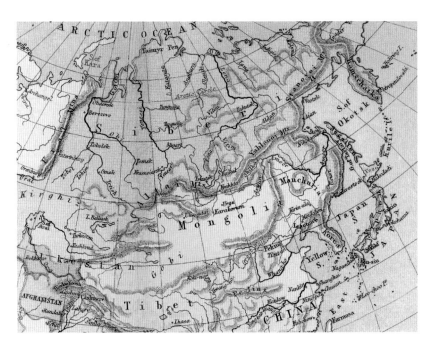

Sibérie.
Atlas pratique Philip's, vers 1897.

sa réputation de virtuose en Scandinavie, puis partit à Saint-Pétersbourg en 1849 pour y «faire fortune[4]». C'était un mauvais calcul. Un deuil à la cour avait fait de Saint-Pétersbourg une ville fantôme. Elle refit donc ses bagages et partit vers l'est, accompagnée de son stradivarius, d'une bonne russe et d'un pianiste allemand qui était aussi son garde du corps.

Le récit de Cristiani, publié dans *Tour du monde* en 1863, commence à Irkoutsk, capitale de la Sibérie orientale. De là, elle se rendit à la ville frontière de Kyakhta, où la population chinoise était fortement représentée. Les Chinois, curieux et hospitaliers, organisèrent un grand dîner en son honneur. Son hôte lui posa mille questions, s'arrêtant d'abord sur les raisons de sa présence. Elle visita le temple du quartier et assista à une pièce de théâtre, qu'elle jugea indécente bien qu'elle ne sût pas un seul mot de chinois.

Cristiani fut aussi invitée dans la caravane d'une tribu nomade locale. Escortée par un convoi de trois cents cavaliers vêtus de robes de satin bariolées, elle traversa les steppes jusqu'au campement, où on lui

Lise Cristiani
et son stradivarius.
D'après Couture, *Tour du monde 7*,
1863, 384.

Par mesure de précaution, Lise Cristiani apporta ses propres couverts au dîner chinois donné en son honneur, car elle se méfiait des baguettes.
Foulquier, Tour du monde 7, 1863, 389.

offrit pour dîner du mouton rôti et du champagne. De là, elle partit visiter un temple bouddhique tibétain, puis la ville retirée de Yakoutsk, où les hommes toutefois ôtaient poliment leur chapeau en passant devant son logement[5].

Les trois voyageurs se rendirent ensuite au Kamchatka, très à l'est. Vers la mi-octobre, ils étaient de retour sur le continent, voyageant à cheval sur un terrain difficile. Cristiani se perdit. Heureusement un messager militaire qui passait par là accepta qu'elle le suive, la prévenant toutefois que si elle restait en arrière, il ne s'arrêterait pas. Elle s'efforça en vain de garder son rythme, et le vit disparaître, lui rappelant son avertissement. Épuisée, elle lâcha les rênes, prête à abandonner son sort à l'instinct de son cheval, quand le messager revint. Est-ce d'elle ou de son cheval qu'il avait eu pitié, elle n'aurait su le dire, mais elle réussit à rejoindre le relais suivant où elle retrouva ses compagnons de route.

À la fin de l'année, elle avait donné plus de quarante concerts, et le voyage avait épuisé toute son énergie. Elle partit dans le Caucase pour se revigorer, mais mourut du choléra en octobre 1853.

La sombre réputation de la Sibérie n'empêcha pas l'infirmière anglaise Kate Marsden, auteur de *À cheval et en traîneau à la recherche des lépreux sibériens* (1893), d'aller à Yakoutsk chercher une herbe censée guérir la lèpre. Habituée aux situations difficiles, Marsden, profondément religieuse, avait été infirmière au cours de la guerre russo-turque de 1877-1878. Elle s'était rendue aussi à Jérusalem et à Constantinople pour mieux comprendre la lèpre. Elle arriva à Moscou en décembre 1890, avec des vêtements inadéquats. Aucunement freinée par son ignorance du russe, elle obtint l'accord officiel pour sa visite. Elle prépara son départ avec son amie Ada Field qui l'accompagna une partie du trajet :

> En quelques semaines, tout fut prêt pour ce voyage long, périlleux et plein d'incertitudes. Que dis-je, un voyage périlleux ? – non, selon certaines, j'allais faire un « voyage d'agrément ». À leur aise. J'accepterai volontiers cette douce appellation si toutes les dames qui qualifient si joliment mon voyage décidaient de partir des environs de Moscou le 1er février de l'année prochaine[6].

Marsden emporta quantité de vivres, dont dix-huit kilos de *plum pudding*, pensant pouvoir le conserver, mais aussi parce qu'elle en était friande. Elle portait une tenue de chasseur : un *ulster*, long pardessus irlandais, muni d'une cape en peau de mouton, le tout recouvert d'un manteau de daim qui ne lui permettait ni de se pencher ni de s'introduire dans un traîneau.

Malgré ce rembourrage, les courses en traîneau lui donnaient l'impression d'être «une vieille souche d'acajou battue et malmenée plutôt qu'une femme anglaise élevée avec délicatesse[7]». Les auberges russes lui firent connaître des odeurs et des parasites qu'elle n'aurait jamais pu imaginer. À Omsk, Ada Field rebroussa chemin pour des raisons de santé. L'esprit de Marsden commença à lui jouer des tours, lui faisant entrevoir sous des teintes menaçantes des situations sans danger. Mais elle s'habitua peu à peu à l'isolement et au fait de devoir dépendre d'inconnus. À chaque étape, elle visitait les prisons et distribuait des textes religieux.

Kate Marsden. «Je voudrais vous remercier de m'avoir persuadée de porter des vêtements de chasse. […] Je dois ma vie à cet équipement et au fait de ne pas avoir pris d'excitants ; et je pense qu'aucune femme n'aurait pu affronter les mêmes dangers, privations et difficultés sans ces deux aides précieuses pour la santé. » (Publicité) Marsden, en regard de la p. 15.

Évidemment, il était tout naturel que ces messieurs fassent remarquer que, comme la plupart des personnes de mon sexe, je voulais être au terme du voyage avant de l'avoir commencé.
– Kate Marsden[8].

Lorsqu'elle arriva finalement à Yakoutsk au printemps, elle rendit visite à l'évêque local, qui lui donna l'herbe qu'elle cherchait, même s'il ignorait tout de son efficacité contre la lèpre. Fin juin, elle et son escorte partirent à la rencontre des lépreux. Elle mit des pantalons bouffants pour monter à cheval à califourchon, «car aucune femme ne pourrait chevaucher sur une selle de femme durant trois mille verstes★[9]». Elle portait aussi un gilet de daim et une veste à manches longues avec un brassard de la Croix-Rouge. Un fusil et un fouet complétaient son costume.

Le circuit fut fastidieux, des pluies torrentielles alternant avec une étouffante chaleur. Ne pouvant ni se changer ni prendre de bains, ils furent surpris de ne pas attraper la grippe. Très vite, leurs provisions se gâtèrent, il leur fallut donc acheter à manger chaque fois qu'ils le pouvaient. Kate Marsden trouva ses lépreux, misérables et délaissés, s'entassant dans des yourtes, mais l'aide qu'elle put leur apporter fut minime.

Après une terrifiante chevauchée en forêt, où la terre en feu crachait d'impressionnantes flammes autour des voyageurs, elle fut vaincue par la fatigue. «Je n'étais jamais montée à cheval auparavant […], mais après des semaines de chevauchée sur une selle dure, peu de sommeil et de nourriture, tous les périls et appréhensions du voyage – eh bien, il était grand temps, pensera peut-être le lecteur, que je me sente épuisée.» Sa crainte d'avoir contracté «une maladie interne» se dissipa peu à peu, bien qu'elle souffrît beaucoup durant le reste du voyage[10].

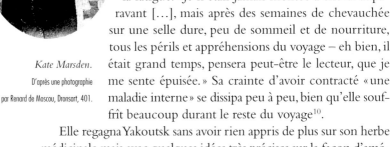

Kate Marsden.
D'après une photographie
par Renard de Moscou, Dronsart, 401.

Elle regagna Yakoutsk sans avoir rien appris de plus sur son herbe médicinale mais avec quelques idées très précises sur la façon d'améliorer la vie des lépreux. Puis, à l'approche de l'hiver, elle revint à Moscou. Ada Field la rejoignit à Tyumen, et elles poursuivirent le voyage ensemble. Mardsen rentra en Angleterre au printemps de 1892.

CRIMÉE ET CAUCASE

Les voyageuses qui n'étaient pas attirées par la Sibérie pouvaient visiter la Russie du sud. Mme Maria Guthrie, la «directrice en charge du Couvent impérial russe[11]» quitta Saint-Pétersbourg en 1795 pour la mer Noire, pensant vainement pouvoir améliorer sa

---

★ Une verste équivaut à 1 067 mètres.

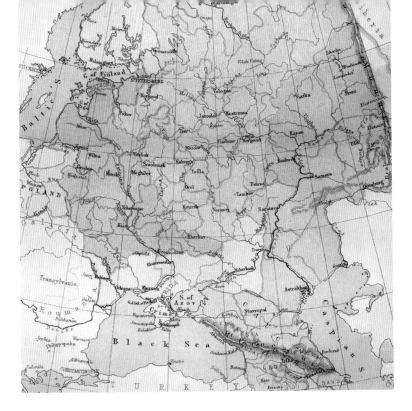

Russie occidentale.

Atlas pratique Philip's, vers 1897.

santé. Si tel était son but, son choix était bien étrange compte tenu des difficiles conditions de voyage. Ses expériences furent publiées dans *Un voyage, effectué dans les années 1795-1796, à travers la Tauride ou la Crimée [etc.]* (1802) sous forme de lettres non datées à l'intention de son mari, collectionneur acharné d'antiquités, le Dr Mathhew Guthrie, médecin militaire et conseiller d'Alexandre Ier.

D'abord écrites en français, ses lettres furent traduites, puis considérablement censurées par son mari après sa mort. Elles s'apparentent à un traité d'histoire académique, parsemé de touches féminines. Dans l'une de ses lettres, elle justifie son parti pris. «Souvenez-vous, je vous prie, que j'ai l'intention de procéder avec beaucoup de méthode dans mon *Voyage,* rien que pour vous punir, vous les hommes, du dédain que vous affichez à l'égard du *charmant désordre qui ne manque jamais de présider aux narrations des femmes voyageuses*[12].»

Peu de détails personnels émergent de ce recueil ; ses pérégrinations pourraient même être apocryphes, un stratagème conçu par Matthew Guthrie pour intéresser un plus large public à ses propres dissertations trop indigestes.

Malgré mon ignorance de la science, j'ai senti qu'en prenant part aux tâches de mon mari, je devenais en quelque sorte une partenaire dans ses recherches savantes, et qu'à mon tour je pouvais, au même titre que lui, revendiquer la Caspienne. – Adèle Hommaire de Hell[13].

Adèle Hommaire de Hell fut bel et bien l'auteur d'une œuvre originale, même si ses écrits empruntèrent le nom de son mari. Le *Voyage dans les steppes de la mer Caspienne* (1847) par Xavier Hommaire de Hell, considéré à l'époque comme l'étude de référence sur la Crimée et le Caucase, fut écrit en collaboration avec Adèle.

Le récit s'étend de 1837 à 1845, alors que les Hommaire et leur jeune fils traversaient la Russie du sud. Les écrits d'Adèle sont emplis de moments de pure magie ; sa description de la traversée des steppes caucasiennes, escortée par de farouches cosaques, est à vous couper le souffle. Mais l'euphorie pouvait à tout instant être étouffée par la menace de réels dangers. Alors qu'elle traversait une zone particulièrement brumeuse, on lui parla d'une Polonaise tombée l'année précédente dans une embuscade tendue par des Circassiens. Son escorte et ses domestiques avaient été «massacrés ou mis en fuite, son attelage pillé, et elle avait été capturée sans que l'on n'entende jamais plus parler d'elle». Ce récit n'était pas plus tôt achevé que, le brouillard se dissipant, un groupe de Circassiens apparut devant eux. Adèle poussa un cri. On l'assura de leur bienveillance, mais elle les regarda avec suspicion, tandis qu'ils les croisaient en file indienne, persuadée qu'ils allaient se précipiter sur eux et utiliser les «poignards damasquinés étincelant sous leurs *bourka* noirs[14]». Elle explique ce qui la motivait à poursuivre ce difficile voyage, malgré ces éprouvantes circonstances :

Adèle Hommaire de Hell.
E. Lefebure, Cortambert, frontispice.

> Les sensations nouvelles et le secret plaisir d'échapper pour un temps à l'ensemble des habitudes prescrites qui constituent la plus grande part de la vie civilisée bannissaient de mon esprit toute sombre pensée. L'excursion était un moyen d'expérimenter ce mode de vie naturel devenu impossible dans nos pays surpeuplés ; […] l'existence nomade ne me semblait plus aussi absurde ou épuisante que je l'avais d'abord imaginé[15].

Dans le village de Karolez en Crimée, Adèle eut le rare honneur de rencontrer la princesse Adel Bey à la beauté légendaire. Elle grava dans sa mémoire chaque instant de sa visite, se souvenant de détails comme l'étrange façon qu'avait la princesse de se noircir les sourcils, prolongeant le trait de pinceau jusque sur l'aile du nez. Toutes deux s'examinèrent de très près. « Que n'aurais-je pas donné pour connaître son jugement de femme quant à mon apparence ! [...] Je me présentais à elle en costume masculin, ce qui dut lui donner une étrange idée des modes européennes[16]. »

Les tenues d'Adèle firent d'ailleurs forte impression sur une autre femme tatare :

> Sur le balcon d'une maison devant laquelle je passais, se tenaient trois femmes voilées. Au moment même où j'arrivai à leur hauteur, je ralentis le pas de mon cheval et leur adressai un geste amical. Alors, l'une d'elles, indiscutablement pour moi la plus jolie, embrassa à plusieurs reprises un gros bouquet de muguet qu'elle tenait, et le lança si adroitement qu'il me tomba dans les mains. Ravie du cadeau, je me pressai pour rejoindre mes compagnons, mais ils m'assurèrent tous avec malice que le cadeau s'adressait non à moi mais à mes vêtements[17].

À Oulou Ouzen, au nord de Yalta, elle rencontra Mlle Jacquemart, une Française excentrique qui vivait non loin de là. Jacquemart, une ancienne gouvernante que sa beauté et son esprit avaient rendue célèbre, avait été victime de vols. Elle dormait donc avec une paire de pistolets. On tenta de l'assassiner, ce qui lui valut une fracture du crâne.

Les Hommaire quittèrent la Crimée en 1845, puis revinrent l'année suivante. Xavier mourut à Isfahan en 1849 à l'âge de trente-six ans. Adèle continua à bourlinguer et écrivit encore quelques livres de voyage[18].

La Jamaïcaine Mary Seacole voyagea elle aussi en Crimée. Que cette femme à peau brune, fille d'un officier écossais et d'une femme de ménage noire née libre, finisse par tenir un hôtel près de Baclava pendant la guerre de Crimée, défie toute logique. D'après son récit, *Merveilleuses Aventures de Mme Seacole dans de nombreux pays* (1857), elle trouva très tôt sa vocation de femme d'affaires et d'infirmière, en prenant soin des hôtes de sa mère lorsqu'ils étaient victimes du choléra ou de la fièvre jaune.

Elle épousa M. Seacole alors qu'il était malade, le soigna jusqu'à sa mort, puis, au plus fort de la ruée vers l'or en Californie, tandis qu'une épidémie de choléra sévissait en Jamaïque, alla chercher refuge dans l'isthme de Panamá. Quelques années plus tard, lorsqu'elle entendit parler du conflit en Crimée, elle n'eut de cesse

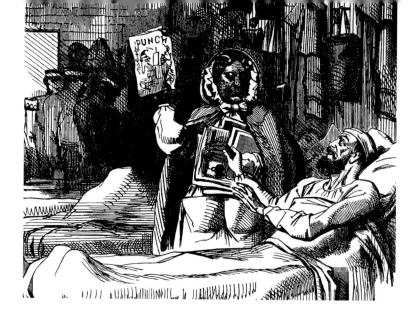

➤ Toute ma vie, j'ai suivi l'impulsion qui me poussait à garder la tête haute et à agir; ainsi, où que je sois, loin de rester oisive, le désir de voyager, comme cette forte volonté, indispensable à la concrétisation de mes souhaits, ne m'ont jamais quittée… Ces qualités m'ont conduite dans bien des pays et m'ont fait vivre des aventures étranges et cocasses… Certaines personnes m'ont qualifiée de véritable Ulysse féminin. Elles pensaient sans doute me faire un compliment; mais au vu de ce que je connais des Grecs, cela ne me semble guère flatteur.
– Mary Seacole[19].

qu'elle ne s'y rendît, car, comme elle le déclara: «Je n'entendais pas plus tôt parler d'une guerre quelque part que je brûlais d'en être témoin[20].» Elle arriva à Londres à l'automne 1854. Mais ses démarches auprès du ministère de la Guerre et des représentants de Florence Nightingale pour y être envoyée en tant qu'infirmière ne suscitèrent que l'ironie.

Sans se laisser abattre, elle partit en janvier 1855 pour Baclava et fonda le British Hotel dans la banlieue de Springhill. Au cœur des bombardements et des affrontements, elle bravait le sifflement des obus pour apporter des rafraîchissements sur le champ de bataille. Elle fut sans doute ainsi la première cantinière à passer derrière les lignes à Sébastopol. Les rats, les voleurs, les températures glaciales et les meurtres occasionnels ne pouvaient rien contre Seacole, mais l'armistice de 1856 suscita chez elle des sentiments mélangés, car elle dut vendre à perte. L'*Illustrated London News* publia la photo d'une foule attendant d'être évacuée. Seacole s'y trouvait, habillée de tissu écossais, tournant le dos. Le journal ajoutait qu'elle était «très aimée, et, de l'avis de tous, avait fait beaucoup de bien». Un an plus tard, *Punch* faisait appel à la générosité de ses lecteurs, leur demandant une guinée pour la sauver de la déchéance[21].

Entre 1876 et 1878, la voyageuse italienne Mme Carla Serena explora le Caucase de la mer Noire à la mer

Caspienne. Son livre, *De la Baltique à la Caspienne* (1881), est le fruit de ces voyages et de son errance à travers l'Europe et le Moyen-Orient. Plusieurs de ses articles furent publiés dans le *Tour du monde* (1881-1884). Les motifs de son voyage n'étaient pas révélés. Dans *De la Baltique*, elle avouait sa répugnance à se préoccuper d'elle-même, une modestie qui n'apparaît pas dans ses écrits.

Serena voyageait à cheval, avec une caravane transportant les vivres nécessaires, car on ne pouvait trouver en route ni auberge ni provisions. Elle fut reçue dans de nombreuses maisons, partageant avec des paysans pauvres les noces aussi bien que les funérailles. Devant tant d'hospitalité, elle ne déplorait qu'un seul handicap : elle ne pouvait dire un mot dans la langue locale. Toutefois, plutôt que de l'apprendre, elle endura trois mois de silence, une « privation bien dure pour une femme », elle voulut bien l'admettre[22].

Elle réussit à obtenir d'un officiel la permission d'aller à Abkhazia. Ce dernier lui affirma que son « héroïsme frisait la folie[23] ». Accompagnée par un *tchapar*, un guide, elle s'arrêta dans des maisons particulières ou des *doukan* – entre l'auberge et l'entrepôt – où elle dut masquer son dégoût à l'idée d'être servie par des paysans marchant pieds nus et vêtus de haillons crasseux.

Carla Serena.
Dronsart, 79.

L'absence de photos retardait la publication de son ouvrage, si bien qu'elle revint au Caucase en novembre 1881. Parce que les photographes redoutaient cette région dangereuse, elle fit elle-même ses tirages, sans s'être jamais servie d'un appareil photo. Miraculeusement, elle y parvint, développant ses photos en cours de route dans des chambres noires improvisées. Quand elle revint en Europe, un géologue célèbre la félicita de son voyage en s'exclamant : « Vous avez réalisé l'irréalisable[24] ! »

Moyen-Orient
Les reines du désert

LE MOYEN-ORIENT OFFRIT AUX EUROPÉENNES un privilège auquel elles n'avaient jamais rêvé auparavant. Elles seules étaient autorisées à s'immiscer dans l'intimité légendaire des harems, à observer la vie décadente et confinée des épouses et esclaves des riches pachas et beys. Elles furent donc des centaines à s'y rendre, poussées par leur curiosité ou celle de leurs maris, désireux de connaître ce que cachaient ces palais interdits.

Avant le milieu du XIXe siècle, les voyageurs se déplaçaient dans ces régions à cheval ou à dos de mule, et campaient ou dormaient dans des auberges rudimentaires appelées *khan* ou caravansérails. Sans connaissances, les femmes avaient du mal à se loger. En 1810, Hester Stanhope eut la prudence d'envoyer en éclaireurs deux hommes de son entourage à Constantinople pour qu'ils lui assurent un endroit où séjourner. En 1842, Ida Pfeiffer logea chez Mme Balbiani, un hôtel simple mais propre, les arrangements ayant été pris avant même qu'elle ne quitte le bateau. Si elle n'avait pu s'y arrêter, écrivit-elle, elle aurait été « en bien mauvaise posture[1] ».

On conseillait également aux voyageurs de louer les services d'un guide appelé « dragoman ». Des dragomans dépendait la réussite d'un voyage, et la plupart des femmes devinrent très attachées au leur. Margaret Fountaine, qui parcourut le monde en collectionnant des papillons, eut avec son dragoman Khalil Neimy une liaison passionnée qui dura vingt-sept ans. Si Harriet Martineau ne tomba pas amoureuse du sien, Ali Mustafa, elle le recommanda néanmoins chaleureusement. « Devant leur connaissance des langues, leur efficacité dans les affaires quotidiennes, leur zèle à voyager et leur familiarité avec les objets sur le parcours, où que nous allions […], j'eus le sentiment que, comparés à eux, certains d'entre nous, dans leur vocation, paraissent bien petits. » Le *Manuel pour l'Égypte* de Baedeker recom-

⤳ Que mes amis me pardonnent de décrire mes soucis avec une telle minutie, je ne le fais que pour avertir ceux qui voudraient entreprendre un voyage comme le mien, n'étant ni très riches, ni de très haute naissance, ni très hardis, qu'ils feraient mieux de rester chez eux.
– Ida Pfeiffer[3].

Lady Mary Wortley Montagu dans sa parure turque, avec turban et poignard.
W. Greatbatch, Montagu, vol. 1, frontispice.

⤳ La dame qui semblait la plus importante d'entre elles m'invita à m'asseoir à ses côtés et fit mine de me déshabiller pour le bain. J'eus quelque mal à l'en dissuader. Toutes s'efforçant néanmoins de m'en convaincre, je fus contrainte d'ouvrir ma chemise et de leur montrer mon corset ; ce qui les satisfit pleinement ; car elles me croyaient verrouillée dans cette mécanique, sans que je puisse l'ouvrir, supposant que seul mon mari en avait la clé.
— Lady Mary Montagu[4].

mandait d'établir un contrat avec ces hommes indispensables et proposait des formules types[2].

TURQUIE

Lady Mary Wortley Montagu fut la première femme à révéler à l'Occident les secrets du harem. Ses voyages la conduisirent en Turquie, en compagnie de son mari, l'ambassadeur Edward Wortley Montagu. Son récit circula d'abord sous forme de lettres, en 1725. Elles évoquaient le scandale de ses visites dans les harems et les bains d'Andrinople (Edirne) et de Constantinople. Elles étaient osées non seulement parce qu'elles offraient pour la première fois une description crédible de ces lieux, mais aussi parce qu'elles s'étendaient sur les sortes de voluptés que l'on y goûtait. Lady Montagu assista à une danse d'un genre jusqu'alors inconnu d'elle : « Les morceaux si doux ! – les mouvements si languissants ! – accompagnés de pauses et de regards mourants ! Tombant à demi à la renverse, elles se ressaisissaient de façon si talentueuse que, j'en suis absolument certaine, la prude la plus rigide de la terre n'aurait pu les regarder sans penser à *quelque chose qu'il est interdit de mentionner*[5]. »

Sa connaissance des harems l'amena à se moquer des voyageurs masculins qui s'indignaient de la condition des femmes orientales prétendument cloîtrées. « Les dames turques, écrivit-elle, sont peut-être les femmes les plus libres de l'univers ; elles sont les seules femmes au monde à mener une vie de plaisirs ininterrompus, exempte de tout souci[6]. »

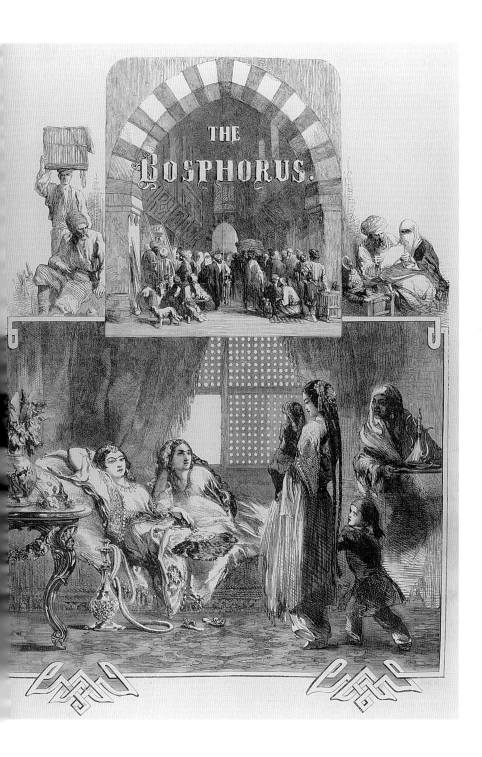

Lady Redcliffe visitant les blessés à Scutari. La chaise à porteurs dans laquelle elle circulait était un moyen de transport courant dans les rues bondées, étroites et agitées de Constantinople.
ILN, 18 août 1855, 212.

Mais Lady Montagu ne perdit pas son temps en Turquie à fumer des narguilés en compagnie de houris oisives. Après la mort de son frère, emporté par la variole, dont elle conserva elle-même des cicatrices, des vieilles femmes qui pratiquaient l'inoculation la lui enseignèrent. Elle fit vacciner ses enfants et introduisit cette pratique en Angleterre[7].

Lady Craven, qui fit son voyage à Constantinople en 1785, décréta que les lettres de Montagu étaient des faux, et qu'elles ne pouvaient avoir été écrites que par un homme, sans doute Horace Walpole★. Elle prétendit qu'à Constantinople elle avait été reçue par l'ambassadeur de France et que, de l'une des chambres de sa demeure, elle pouvait épier le sultan lorsqu'il s'étendait sur son sofa[8].

Plusieurs générations de voyageuses au Moyen-Orient furent influencées par les *Lettres* de Montagu. Elles espéraient partager son expérience et son ravissement. Dans les années 1700, la mode orientaliste sévit à travers toute l'Europe et, avec les études sur l'Égypte commandées par Napoléon (publiées en 1809), les écrits de Chateaubriand et de Lamartine, les peintures de Jean-Léon Gérôme et de Delacroix, le genre s'établit en force.

★ Walpole, plus que quiconque, aurait été un bon candidat pour la rédaction des lettres de Montagu, car il avait essayé de faire passer son roman, *Le Château d'Otrante*, pour un ancien manuscrit perdu.

☙ Imaginez des murs noircis et crevassés, des plafonds en bois
fendus par places et recouverts de poussière et de toiles d'araignées,
des sofas déchirés et gras, des portières en lambeaux, des traces
de chandelles et d'huile partout. Moi qui entrais pour la première fois
dans l'un de ces charmants repaires, j'en étais choquée ; mais
les maîtresses de la maison ne s'en apercevaient pas. Leur personne
est à l'avenant. Les miroirs étant fort rares dans le pays, les femmes
s'affublent à l'aventure d'oripeaux dont elles ne peuvent apprécier
le bizarre effet. — Cristina di Belgiojoso[9].

Gravure d'après
Une Visite (intérieur d'un
harem, Constantinople,
1860), par Henriette
Browne. Artiste
professionnelle, Browne
visita Constantinople,
le Maroc, l'Égypte
et la Syrie, et introduisit
des thèmes orientalistes
dans ses peintures.
Mettais, Tour du monde 8, 1863, 153.

Vers les années 1840, la visite des harems à Constantinople était devenue impossible. Quand Lady Londonderry demanda à l'ambassadeur anglais s'il pouvait l'introduire dans le harem du sultan, il refusa clairement, lui faisant remarquer que s'il accédait à toutes les demandes qui lui étaient faites, il ne pourrait plus rien faire d'autre. Elle finit par convaincre l'ambassadeur d'Autriche d'arranger cela, mais il lui fallut se rabattre sur un harem moins prestigieux[10].

Certaines visiteuses de Constantinople tombaient immédiatement sous le charme de la ville; d'autres se montraient critiques, comme les sœurs Emmeline et Victoria Wortley, en 1855, pendant la guerre de Crimée. Victoria partageait l'opinion de sa bonne, «dégoûtée par l'atroce état des rues, elle souhaitait l'arrivée des Russes, qu'ils s'emparent dès demain de la ville si seulement ils pouvaient la rendre d'une propreté acceptable»! Emily Beaufort, pragmatique, arrivée en 1860 après un long voyage à travers l'Égypte et la Palestine, pensait que ceux qui venaient directement du froid étaient peut-être dupes «d'une illusion les conduisant à croire la beauté du lieu plus grande qu'elle ne l'était en réalité[11]».

Cristina di Belgiojoso fut suffisamment intriguée par la Turquie pour y résider durant plusieurs années. C'était une princesse et patriote italienne pleine d'énergie, qui avait fui temporairement la Lombardie dominée par l'Autriche lorsque le corps embaumé de son secrétaire aimé avait été trouvé dans sa villa. Elle embarqua pour Constantinople avec sa fille Maria, une bonne anglaise, Mrs Parker, et arriva en août 1849. En novembre 1850, elle avait déjà acheté une petite ferme dans une vallée, avec vue sur le Bosphore, appelée Eiaq-Maq-Oglou. Après une fructueuse récolte de blé et de pavots, elle confia la ferme à un régisseur alsacien, avant de partir en voyage vers la Syrie et la Palestine. Le livre qui en résulta, *Asie mineure et Syrie. Souvenirs de voyage* (1858), ainsi que les articles parus dans *La Revue des deux mondes* (1855) révélèrent son jugement sur les harems et la danse du ventre, qui la laissaient de glace, sur la ville de Jérusalem, qui la toucha profondément, et sur le haschich, qui produisait selon elle peu de sensations, si ce n'est l'inconfort physique[12].

De retour dans sa ferme onze mois plus tard, Belgiojoso fut stupéfaite de son état de délabrement et du coût exorbitant des réparations, l'argent commençant à lui manquer. Pour comble, elle apprit que ses biens en Italie avaient été confisqués. Puis, en 1853, un employé lombard, qui avait eu une liaison avec Mrs Parker, frappa Belgiojoso de cinq coups de poignard. Elle survécut, se soignant seule pour retrouver un semblant de santé, mais elle ne fut plus jamais la

même ; avec son énergie, elle avait perdu sa jeunesse et sa beauté. Elle rentra en Europe.

SYRIE ET TERRE SAINTE

Constantinople était le point de départ des voyages pour la Terre sainte, destination privilégiée des femmes pèlerins. Au XIXᵉ siècle, le pèlerinage passait pour le meilleur alibi pour effectuer un voyage, surtout pour celles qui projetaient de voyager seules. Mais l'aristocratique et brillante Lady Hester Stanhope ne s'embarrassait pas d'une telle justification. Elle n'écrivit rien de ses extraordinaires voyages ni de son séjour légendaire au Levant, mais son caractère excentrique et flamboyant lui valurent néanmoins une gloire certaine.

Après avoir été retirée à son père, riche et volage, Stanhope vécut avec son oncle, le Premier ministre britannique William Pitt, de 1803 jusqu'à la mort de ce dernier en 1806. Spirituelle et indépendante, elle ne dépareillait pas dans l'entourage de Pitt. Au cours de l'année 1805, elle fut également dame de compagnie de Caroline, la princesse de Galles, bientôt exilée. Après la mort de Pitt, son pouvoir diminua, tout comme ses moyens. Le Parlement lui accorda une pension annuelle insuffisante de 1 200 livres. À la douleur engendrée par la mort de Pitt vint s'ajouter, en 1809, celle liée à la mort de son demi-frère Charles et de Sir John Moore, dont elle était tombée amoureuse. Tous deux moururent sur le champ de bataille, dans la guerre contre l'Espagne[13].

En février 1810, Hester Stanhope et son autre demi-frère, James, se rendirent à Gibraltar, à bord d'une frégate. Elle y emmena sa bonne,

⤳ Pendant des heures, cette étonnante femme blanche déversa son discours, portant pour l'essentiel sur des mystères sacrés et profanes ; de temps à autre, elle suspendait son vol sur les hauteurs, puis redescendait sur terre ; chaque fois qu'elle le fit, sa conversation me parut intéressante.
— Alexander Kinglake[14].

Elizabeth Williams, un domestique, et son médecin, le Dr Charles Meryon, qu'elle rabaissait impitoyablement. Stanhope rencontra Michael Bruce, un jeune homme de vingt et un ans dont elle devint l'amante. Il faisait le tour du monde avec son ami Lord Sligo. Elle se rendit avec ces nouveaux compagnons à Constantinople, en passant par la Grèce où ils virent brièvement Lord Byron.

Quand Hester Stanhope, Bruce, Meryon ainsi qu'une nouvelle bonne, Ann Fry, embarquèrent pour l'Égypte en octobre 1811, leur bateau fit naufrage au large des côtes de Rhodes ; personne ne mourut, mais ils perdirent tous leurs biens. Privées de vêtements de rechange, Stanhope et Fry s'habillèrent en hommes turcs, et le voyage reprit. Le petit groupe arriva à Alexandrie, d'où il partit pour Le Caire. Stanhope portait turban, veste et pantalons en brocart, magnifiquement brodés d'or, lorsqu'elle rencontra le souverain Mehemet Ali : n'ayant apparemment jamais rencontré de femme européenne, il ne parut pas surpris de son accoutrement[15].

Ils partirent pour la Palestine en mai 1812, accompagnés de nombreux gardes et serviteurs. Stanhope se montra d'emblée audacieuse en chevauchant sans voile à Damas. Là, elle rencontra un cheikh de la tribu des Anazeh, qui contrôlait les voies du désert. Elle voulait organiser son expédition à Palmyre, l'ancienne capitale de l'empire détruit de la reine Zénobie, où aucune femme européenne ne s'était rendue depuis l'époque romaine. En mars 1813, Stanhope et Fry, portant des vêtements masculins de Bédouins, entreprirent ce voyage exténuant. La nouvelle se répandit à travers tout le désert ; chacun voulait voir cette riche et surprenante Anglaise, et son arrivée fut fêtée en grande pompe. Stanhope eut l'impression qu'on lui avait réservé un accueil de reine[16].

Mais l'expédition eut un revers financier : louer des serviteurs, des guides, des chameaux, des tentes, se procurer des vivres et payer le cheikh coûtait une fortune. Dépensant beaucoup plus que ne lui permettaient ses revenus, elle allait bientôt se retrouver sans un sou. La passion entre Bruce et Stanhope s'éteignit. Il partit donc pour l'Angleterre, lui promettant la moitié de son allocation annuelle, qu'il ne lui envoya jamais. De retour en Europe, il renia leur amitié en l'insultant et en clamant partout qu'elle était désaxée[17].

Pour faire face, elle résolut de trouver un coffre d'argent que l'on disait enfoui à Ascalon, et obtint la permission de creuser. Elle ne trouva pas de trésor, mais des objets artisanaux, dont une fort belle statue qu'elle fit détruire afin que personne ne se méprît sur ses intentions. Les fouilles aggravèrent ses dettes.

Elle s'installa d'abord à Mar Elias, puis à Djoûn, un ancien monastère dans les montagnes du Liban, au nord-est de Sidon, où les dépenses relatives à l'entretien de la maisonnée augmentèrent considérablement. Au fil des ans, elle compta parmi ses invités l'explorateur anglais James Silk Buckingham, qui lui dédia *Voyages en Mésopotamie*, William Banks, futur membre du Parlement de Cambridge qui la dénigra, Alexander Kinglake, qui dressa d'elle un surprenant portrait dans *Eothen*, enfin Alphonse de Lamartine, qui la flatta dans son *Voyage en Orient*.

Princesse Caroline Amelia Elizabeth de Brunswick.
D'après une peinture de Thomas Lawrence, Bury, vol. 2, frontispice.

Le Dr Meryon partit pour l'Angleterre en 1817. Stanhope s'immergea dans l'astrologie, et sa santé, déjà fragile, déclina. Lorsque la guerre civile commença, elle demanda à Meryon de revenir, mais il s'était marié et répugnait à quitter sa femme. Il revint donc accompagné de Mme Meryon. Leur première traversée fut compromise par les pirates. Ils s'aventurèrent une nouvelle fois pour arriver enfin à Djoûn, où Mme Meryon et Stanhope se soutinrent mutuellement.

À l'époque Stanhope vivait dans la pauvreté, conservant néanmoins une trentaine de domestiques et d'invités divers. Mais le gouvernement anglais lui supprima sa pension en raison de ses impayés en Égypte. Elle écrivit des lettres de protestation à la reine Victoria, à Wellington et à Palmerston, en vain. De retour en Angleterre, Meryon plaida en sa faveur, sans plus de succès, puis, à sa demande, revint à nouveau auprès d'elle. Quand il partit définitivement, la maison de Stanhope était sous scellés et, pour autant qu'on sache, elle vivait depuis plusieurs mois dans une totale solitude[18]. Cette incroyable iconoclaste mourut le 23 juin 1839.

Si Stanhope brilla par son excentricité, la princesse Caroline marqua les esprits par la bravade et l'indiscrétion. Elle ne vécut avec son mari le prince de Galles, futur George IV, que le temps de concevoir une pauvre fille mal aimée, puis s'impliqua dans des machinations politiques qui firent scandale, suscita des rumeurs d'adultère et parcourut le globe. Exilée en 1814, elle y vit l'occasion de dépenser son argent dans des villas en Italie, avant de se mettre en route pour Constantinople. Une rumeur voudrait que, lorsque Stanhope apprit l'arrivée imminente de la princesse en Syrie, elle ait pris la

fuite[19]. Pour immortaliser son voyage d'Acre à Jérusalem, Caroline commanda un portrait, *L'Entrée de sainte Caroline à Jérusalem*, et fonda également un ordre religieux à son nom. Elle finit par revenir en Italie, puis en Angleterre où le prince régent entama une procédure de divorce pour adultère, abandonnée par la suite. Mais il lui fut interdit d'assister au couronnement.

L'expédition de Stanhope à Palmyre abattit des barrières pour les voyageuses qui marchèrent sur ses traces. Jane Digby el-Mezrab, anciennement Lady Ellenborough, fut connue pour avoir visité les ruines légendaires. Digby n'écrivit jamais de mémoires, mais elle tint des journaux auxquels sa biographe Mary Lowell eut accès. Il est impossible de résumer ses innombrables histoires d'amour; c'était une femme passionnée qui captura le cœur du roi de Bavière Louis Ier avant qu'il ne rencontre Lola Montez; elle chevaucha dans les montagnes macédoniennes en compagnie du chef des rebelles palikares, Xristodolous Hadji-Petros, et finalement épousa le cheikh bédouin Medjuel el-Mezrab.

Quand Digby, avec sa bonne française Eugénie, arriva pour la première fois en Syrie, elle était furieuse d'avoir découvert une liaison entre Eugénie et Hadji-Petros. Elles avaient accosté à Beyrouth puis partirent immédiatement pour Damas, où Digby organisa un voyage à Palmyre. En juin 1853, elle embarqua pour ce qu'elle appelait «sa plus grande aventure[20]». La caravane anazeh avec laquelle elle voyageait fut attaquée; elle passa les vingt-quatre heures de séjour autorisé à Palmyre à explorer les ruines et entama une liaison avec Saleh, le chef de la caravane, avant de rencontrer Medjuel.

Elle revint brièvement en Grèce, mais, de retour à Damas quelques mois plus tard, elle revit Medjuel et lui fit part de son désir d'acheter une maison à Damas. Medjuel lui demanda de l'épouser ; avant de donner sa réponse, elle alla à Bagdad et eut une liaison avec Cheikh el-Barak. À son retour, elle consentit à épouser Medjuel à condition qu'il divorce de son épouse du moment. Après un nouveau voyage en Grèce, Digby et Medjuel se marièrent et restèrent ensemble jusqu'à la mort de Digby en 1881. Elle fit de fréquents voyages à Palmyre, devint familière des mœurs bédouines, et excellente cavalière. De nombreuses voyageuses au Moyen-Orient lui rendirent visite, notamment Emily Beaufort, Isabel Burton, Lydie Paschkoff et Anne Blunt. Burton décrivit les soirées magiques passées sur le toit en terrasse de la maison de Digby, à fumer en compagnie du chef rebelle algérien en exil Abd el-Kader.

En 1859, Emily Beaufort et sa sœur, R. E. Beaufort, voyagèrent avec la caravane de Medjuel jusqu'à Palmyre. Là, des hommes du lieu organisèrent une mise aux enchères improvisée. « On eut beau leur assurer que les femmes franques n'étaient jamais vendues de cette manière, écrivit Beaufort, ils continuèrent à lancer des prix ; et après que j'eus refusé, en secouant la tête, plusieurs de leurs offres, un homme surenchérit avec enthousiasme en proposant la somme de dix mille piastres ; mais quand il lui fut signifié qu'il ne pouvait m'avoir à aucun prix, il se détourna en disant : "J'aurais offert mille piastres de plus si elle avait eu les yeux noirs !"[21] »

Isabel Burton vécut à Damas avec son mari, le célèbre explorateur et consul anglais Richard Burton, de 1870 à 1871. Indépendamment de la peste, du choléra, des puces, de la poussière, de la famine, de la sécheresse et des bandits, la ville était selon elle supportable pour une Européenne. Son premier contact avec Damas fut Demetri's, une auberge qui avait suscité des commentaires tantôt élogieux, tantôt méprisants. Elle la décrivit ainsi : « C'est une belle maison avec une belle cour plantée d'orangers et de citron-

Emily Beaufort, ici Lady Strangford.
Graphic, 26 mai 1877, 496.

Ma destination était Damas, le rêve de mon enfance et de mon adolescence. Je vivrais auprès des chefs arabes bédouins ; je respirerais l'air du désert, j'aurais des tentes, des chevaux, des armes et je serais libre. – Isabel Burton[22]

Isabel Burton en 1869.
Photographie par P. Naumann, Burton
1898, en regard de la p. 350.

➤ Quelle bonne chose serait
le voile pour certaines de
nos femmes européennes !
– Isabel Burton[23].

niers, avec une fontaine pleine de poissons rouges et une galerie couverte courant tout autour.» Pourtant, vingt ans plus tôt, Harriet Martineau s'était montrée moins favorable, furieuse de ne trouver ni orangers ni poissons rouges ni belle cour : «Il n'est pas bon que des voyageurs peignent de couleurs romantiques des maisons comme celle-ci, en Orient ou ailleurs : car ceux qui viennent ensuite ont à se plaindre de la suffisance ou de la paresse du propriétaire[24].»

Burton fréquentait les *hammam*, ou les bains, et elle y était chaleureusement reçue. Sa description n'a rien de romantique : «Je fus plutôt choquée. Elles s'accroupissent, nues, sur le sol ; dépouillées de leurs vêtements, de leurs coiffures et sans maquillage, la plupart d'entre elles sont vraiment hideuses. Leur peau est pareille au parchemin, leur tête, aussi chauve qu'une boule de billard. Leur peu de cheveux est teint en rouge orange par le henné. Elles ressemblent aux sorcières de Macbeth, ou du moins semblent avoir été appelées des enfers. […] Une femme anglaise moyenne ressemblerait à une houri comparée à elles ; leur comportement était bestial, pour employer un terme modéré.» Néanmoins l'expérience l'encouragea à essayer les hammams de Londres et de Paris, qu'elle décrivit comme «des flaques d'eau sale[25]».

En sa qualité d'épouse de consul, Isabel Burton était escortée lorsqu'elle explorait la ville et ses environs. Elle justifiait cette dépense en expliquant que les femmes qui se promenaient seules s'attiraient des insultes. Elle rapporta un incident au cours duquel une jeune dame, voyageant en diligence de Beyrouth à Damas, avait été embrassée «tout le long du voyage» par un Perse. «Pauvre petit idiot ! […] Elle a fait arrêter le Perse […]. Si quelqu'un, quel qu'il soit, s'était essayé à ce petit jeu avec moi, je lui aurais donné une bonne leçon et fait justice de mes propres mains[26].»

Burton décrivit aussi la peu conformiste duchesse de Persigny, dont la conduite n'était pas un modèle pour les autres visiteuses. Dans une mosquée, alors qu'elle refusait de descendre du minaret, elle avait provoqué un esclandre de façon particulièrement provocante : «Le Shayk a envoyé toutes sortes d'émissaires la suppliant d'en partir, à qui elle déclara : "Dites au Shayk que je suis la duchesse de Persigny, que je me trouve fort bien ici, et que je ne descendrai que quand cela me plaira." Il ne lui plut pas pendant trois quarts d'heure[27]. » Les gardes engagés pour la protéger supplièrent le consul français de penser à leur réputation et de ne pas leur demander d'effectuer un tel travail.

Au moment où la journaliste russe Lydie Paschkoff partit pour Palmyre en 1872, au moins dix femmes occidentales y avaient déjà séjourné dont, en plus de celles mentionnées plus haut, les voyageuses hollandaises Alexine et Harriet Tinne, ainsi que leur bonne Flora, en 1857. Cela ne veut pas dire que le voyage était devenu facile, et d'ailleurs Paschkoff organisa le sien en conséquence. Se faire escorter par des Bédouins n'avait plus cours. Les voyageurs payaient désormais des soldats turcs pour les protéger. À son groupe, composé de son dragoman Fadull et de deux servantes, s'ajouta un consul russe, un photographe français et leurs domestiques.

Paschkoff emportait une telle quantité de bagages qu'il lui fallut trente-trois mules pour porter ses paquets, trente-cinq chameaux pour l'eau, vingt ânes pour les conducteurs de chameaux et douze chevaux pour les soldats. Les femmes ne supportant pas les longues étapes, la caravane partait après le déjeuner, et le voyage était limité à six heures par jour.

Que Lydie fût riche ne faisait aucun doute, étant donné l'importance de son expédition, et le menu d'un repas qu'elle offrit à des dignitaires locaux.

Nous eûmes pour le dîner des conserves Potel et Chabot, de bons potages, des homards, des asperges et des pâtés de gibier ; en fait de rôtis, du veau et des poulets, et enfin un délicieux plum-pudding : le tout arrosé d'un excellent bourgogne et d'un vin de Champagne décent, sans compter le café, le raki et des liqueurs. Le bon pacha déclara à ses aides de camp : « Est-ce un rêve, messieurs ? […] C'est sans doute aux bons génies de ces ruines que nous devons cette aubaine ; craignons que ces tentes ne disparaissent aussi par enchantement[28]. »

Très étonnés par les vêtements de Paschoff, les cheikhs lui demandèrent la permission de les examiner. Nous aurions fait de même en la voyant déambuler dans des pantoufles de satin bleu brodé garnies de dentelle faite à Paris[29].

Alors que Paschkoff voyageait en grand style, Anne Blunt, qui visita Palmyre en 1878 avec son mari Wilfrid Scawen Blunt, n'était

équipée que du strict nécessaire. Anne, la riche fille d'Ada Byron Lovelace et la petite-fille de Byron, avait rencontré Wilfrid en Italie en 1866. Alors aspirant poète et attaché à l'ambassade britannique, Wilfrid était très démuni, de sorte que le mariage était pour lui une aubaine, même s'il risquait de compromettre sa réputation de séducteur impénitent (ce ne fut pas le cas). Ils se marièrent en juin 1869 ; en août, Anne était enceinte. Dans les sept ans qui suivirent, au cours de leurs voyages en Afrique du Nord et au Moyen-Orient, elle fut enceinte au moins neuf fois. Mais un seul enfant survécut, Judith, une fille prématurée. Anne avorta fréquemment, et en Algérie, un fœtus fut enterré en pleine nuit[30].

Tous deux étaient envoûtés par l'Orient. Anne, qui connaissait les infidélités de son mari, se réjouissait que les pays musulmans mettent temporairement un frein à ses activités amoureuses. Le couple arriva à Alep en novembre 1877, d'où ils planifièrent un voyage à Bagdad, en remontant le Tigre vers le nord et en revenant à Alep *via* Palmyre. Le but de ce voyage était de connaître davantage les coutumes bédouines et la langue arabe. Le livre d'Anne *Tribus bédouines de l'Euphrate* (1879), dont elle attribua la paternité à Wilfrid et qu'il coupa en fait considérablement, témoigne de leur démarche. Les conditions de vie étaient très rudes et l'instabilité de l'empire ottoman rendait les voyages hasardeux. Ils

> ✎ Avril 1878, Damas :
> « Je devais me préparer pour la visite épuisante d'un harem. Un harem est une chose à voir, disent les gens, et j'avais là une opportunité en or. »
> — Anne Blunt[31].

chevauchèrent tantôt sous la pluie et sous la neige, tantôt par une chaleur sèche et étouffante ; avec d'autres voyageurs, ils partagèrent des logements sales dans des *khans* de basse qualité ; parfois ils campèrent dans des tentes confectionnées spécialement à leur intention et furent invités par des consuls, gouverneurs ou princes. En 1879, ils firent un deuxième voyage à travers le désert de Nejd, puis vers l'est, en direction de Bagdad et de l'Inde.

Le séjour des Burton et des Blunt en Palestine coïncida avec l'arrivée de groupes de touristes en voyage organisé. En 1871, un an après le premier voyage organisé par Cook en Terre sainte, Burton rencontra l'un de ces groupes à Beyrouth : « Ils ont essaimé à travers la ville comme des locustes, au nombre d'environ cent quatre-vingt ; et les indigènes ont dit d'eux : "Ce ne sont pas des voyageurs, ce sont des *Cookii*." » Les Blunt, à leur retour du désert en 1878, tombèrent sur une foule bruyante et mal habillée dans leur hôtel à Beyrouth. Leur première pensée les associa à une excursion Cook. Ils furent choqués d'apprendre qu'il s'agissait de visiteurs huppés, venus en yacht[32].

En dépit de l'oppression si souvent dénoncée des femmes au Moyen-Orient, de nombreuses Européennes purent y jouir d'une incroyable indépendance, ayant l'occasion de traiter avec les hommes sur un pied d'égalité et même de nouer de respectueuses amitiés avec des Arabes dont beaucoup parlaient couramment l'anglais ou le français. Au contraire, les femmes arabes ne restaient qu'un objet de curiosité, non seulement parce qu'elles vivaient séquestrées, mais aussi en raison de la barrière de la langue.

DOUBLE PAGE SUIVANTE :
« Touristes faisant l'ascension de la Grande Pyramide » (détail).
R. Caton Woodville, *ILN*, 7 mai 1887, 530-531.

Égypte
Laissez votre crinoline au Caire

GÉOGRAPHIQUEMENT, L'ÉGYPTE FAIT PARTIE DE L'AFRIQUE, mais peu de voyageurs en avaient conscience. C'était tout simplement l'Égypte, un pays à nul autre pareil. Certains y arrivaient après avoir traversé le Sinaï ; les autres parvenaient par mer à Alexandrie, prêts à entreprendre un voyage de deux ou trois mois. L'exercice, une fois l'ancre jetée, consistait à fendre la foule des rabatteurs qui avaient envahi le pont du bateau, à se frayer un chemin à travers les douanes, à s'échapper vers un hôtel et, là, à regretter amèrement d'avoir entrepris le voyage.

Les sites d'Alexandrie – les catacombes, la colonne de Pompée – étaient considérés comme sans intérêt, si bien que la plupart des voyageurs louaient immédiatement les services d'un dragoman et partaient en direction du Caire par bateau ou à dos de mule (avant que le train n'effectue ce trajet en 1856). Au Caire, ils se réconciliaient avec le pays et préparaient leur remontée du Nil vers Assouan ou plus haut, vers la Nubie.

Avant l'achèvement du canal de Suez en 1863, les voyageurs qui se rendaient en Inde en passant par la mer Rouge allaient d'Alexandrie au Caire, puis traversaient jusqu'à Suez où des bateaux pour Madras, Ceylan ou Bombay les attendaient. Parmi ces voyageurs se trouvait Eliza Fay. À la fin du mois de juillet 1779, elle et son mari avaient fait voile vers Alexandrie ; un mois plus tard ils étaient en route vers Le Caire, craignant la peste qui paralysait la ville. Leur inquiétude était justifiée, tous deux tombèrent malades, mais guérirent rapidement.

Au Caire, Fay suffoquait sous un manteau et son voile. Elle était terrifiée par les récits récents relatant les mauvais traitements infligés à des Européens qui traversaient le désert. Le survivant d'un raid particulièrement meurtrier ne fit rien pour calmer son angoisse en s'écriant : « Oh, madame, comme vous êtes malheureuse d'être venue en ces lieux maudits ! » avant d'entonner

Shepheard's Hotel au Caire. Originellement conçu pour servir des clients de passage allant à Suez ou en revenant, le Shepheard's devint le lieu à la mode du Caire. En 1884, la guerre du Soudan battait son plein et de nombreux plans de bataille furent discutés sous la véranda de l'hôtel. Les femmes s'y sentaient à l'aise, mais elles n'étaient pas autorisées à aller voir l'orchestre féminin au café chantant de l'autre côté de la rue[1].

ILN, 9 février 1884, 140-141.

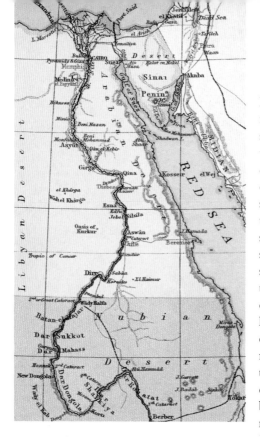

CI-DESSUS :
Égypte et Nubie.
The Handy Atlas, vers 1900.
CI-DESSOUS : *La gare de*
chemin de fer, Alexandrie.
ILN, 25 avril 1857, 378.

la litanie : « Qu'allons-nous faire de cette dame ? » Elle s'attendait chaque jour à une trahison, si bien que Fay se cacha dans la maison familiale d'un médecin italien. « L'emprisonnement et le massacre sous toutes ses formes étaient leurs seuls sujets de conversation[2] », soupira-t-elle. Les rumeurs au sujet du couple étaient multiples : ils allaient être envoyés en captivité à Constantinople ; leurs possessions seraient confisquées. Mais, brusquement, ils reçurent l'autorisation de partir. Quand ils entreprirent enfin la traversée des sables brûlants, ils étaient extrêmement tendus. Survivraient-ils à ce voyage de trois jours ? Il nous faudra attendre la partie de ce livre qui traite de l'Inde pour le savoir.

Emma Roberts, auteur de *Notes sur un voyage à Bombay par voie de terre à travers la France et l'Égypte* (1841), traversa l'Égypte en route vers l'Inde, et y fit une pause assez longue pour y trouver matière à écrire un livre. En 1839, la route reliant Le Caire à Suez était suffisamment sûre pour qu'Emma Roberts puisse s'émerveiller du fait que « des dames, uniquement accompagnées de trois domestiques et de quelques âniers, n'aient pas besoin d'autre protection, alors que la literie, les garde-robes, les sacs de voyage, sans parler des chameaux chargés de coffres et de sacoches, constituaient sans doute une bien grande tentation pour des voleurs ». Il semblerait qu'elle ait eu de la chance ; on rapportait, en 1844, qu'un Européen en route vers Suez avait été dépouillé d'absolument tout ce qu'il possédait et abandonné, les mains liées derrière le dos, contraint de retrouver seul sa route[3].

Les voyageurs traversaient aussi le désert pour aller en Palestine ou en revenir. Ils devaient engager des guides et des gardes car la route était encore plus épuisante et dangereuse que celle qui menait du Caire à Suez. De sa traversée du Sinaï, Harriet Martineau écrivit : « Je ne dirai jamais un mot qui puisse encourager une femme à voyager dans le désert. » Elle proclamait toutefois que sa santé, d'ordinaire mauvaise, était florissante là-bas[4]. Elle et son entourage voyagèrent tantôt à dos de chameau, tantôt à pied, ou portés dans des palanquins. Elle devait avoir fière allure avec son chapeau de soleil à larges bords, ses binocles en métal noirci et son cornet acoustique (elle était très sourde).

Martineau écrivit *Vie orientale, présente et passée* (1848), un récit de voyage enthousiaste, empli d'observations sur la foi orientale, les coutumes, l'histoire et l'archéologie. Accompagnée de trois amis, elle remonta le Nil en *dahabiya*, le mode de transport habituel. À l'époque, il n'était pas rare de faire chavirer un bateau avant même le début du voyage. Les visiteurs étaient horrifiés d'apprendre que cette immersion avait pour but de tuer les insectes infestant les bateaux. Le succès de ce procédé était souvent éphémère, donnant aux voyageurs une chance de se gratter jusqu'à Assouan. Martineau se réjouissait que son bateau soit suffisamment dépourvu de vermine pour ne pas être coulé.

À bord, on a peine à le croire, elle et son amie, Mme Yates, faisaient de la couture et du repassage. C'était si divertissant que Martineau recommandait « qu'une dame pense à mettre une paire de fers plats dans ses bagages. Si elle peut aussi amidonner, cela ajoutera considérablement à son confort[5] ». À terre, néanmoins, elle se rattrapait en notant tout avec assiduité.

Harriet Martineau.
Alonzo Chappel, Duyckink, vol. 2,
en regard de la p. 370.

FOND : *Dahabiya du Nil.*
Bayard Taylor, *Afrique centrale*, New York,
G. P. Putnam, 1864, 85.

Vers les années 1840, l'Égypte fut inondée de femmes promptes à enregistrer les délices ou les dégoûts que leur inspirait le pays : Georgiana Damer, *Journal d'un voyage en Grèce, Turquie, Égypte et Terre sainte* (1841), la comtesse Ida von Hahn-Hahn, *Lettres d'Orient* (vers 1845), et Isabella Romer, *Un pèlerinage aux temples et tombes d'Égypte, Nubie et Palestine* (1846). Cette dernière, qui se vantait d'avoir volé une statue dans les ruines de Beni Hasan, s'attira un blâme de Martineau pour une telle conduite[6].

Sophia Poole, auteur d'*Une femme anglaise en Égypte* (1844), était une visiteuse infiniment plus érudite. Sœur d'Edward Lane, un spécialiste

➤ Le gouverneur d'Esneh
avait hâte de voir
«le spectacle nouveau
et pour lui incompréhensible
d'un harem n'appartenant à
personne et voyageant en
toute liberté, seul sur le Nil»!
– Emily Beaufort⁷.

très respecté de l'Égypte, Poole découvrit le pays au début des années 1840 en prenant son frère pour guide. Elle mêla histoire, économie et statistiques à des morceaux choisis de sa correspondance, afin de dépasser le simple recueil de bavardages épistolaires. Tout cela est très admirable, disait le chroniqueur de *Blackwood*, mais il courait à la partie, pour lui, vraiment intéressante du livre : «là où aucun homme ne peut mettre les pieds – les harems». Elle satisfit sa curiosité avec des détails sur les bijoux, les produits de beauté et les sujets de conversation. Mais elle décrivit aussi quelle victoire avait été sa visite de la mosquée Al Azhar, dont l'entrée était interdite aux chrétiens et tout particulièrement aux femmes[8].

Emily Beaufort et sa sœur choisirent d'aller en Égypte en 1858, «croyant que nous trouverions là une réserve inépuisable de sujets profondément intéressants pour la pensée et l'étude, un voyage peu fatigant, et pas le moindre monde ; nos espoirs pour les deux premiers points furent largement comblés, mais la solitude est difficile à trouver sur le Nil, maintenant qu'il est à la mode et surpeuplé[9]». Comment pouvait-elle décrire leur voyage comme «sans fatigue»? C'est un mystère. À leur retour de Nubie, elles étaient à quai, à Edfou, quand un incendie consuma leur *dahabiya* et tout ce qu'elles possédaient.

Pendant les deux semaines qui suivirent, les deux sœurs furent à la merci de la charité d'Européennes sympathisantes, beaucoup trop rares, qui leur fournirent le nécessaire. Beaufort remarqua avec amertume : «Nous avons trouvé nos compatriotes hommes beaucoup plus généreux que nos compatriotes femmes★[10].» Elles revinrent au Caire et remplacèrent leurs bagages avec difficulté et à grands frais, avec l'idée d'intenter un procès au capitaine du bateau. Mais celui-ci les devança en les poursuivant, elles, pour diffamation. Le consul leur conseilla de quitter le pays aussi vite que possible.

La vie des Beaufort fut toujours aussi intense après leur départ d'Alexandrie par bateau. Elles louèrent une maison dans des montagnes proches de Beyrouth, et se trouvèrent au beau milieu du conflit entre druzes et chrétiens. Elles prirent la fuite, puis entendirent raconter que «l'une [d'elles] avait été tuée dans la bataille et que l'autre s'était échappée, partant se cacher avec sa servante dans les profondeurs de la vallée, où l'on était certain qu'elles ne tarderaient pas à être soit toutes deux fusillées, soit condamnées à mourir de

---

★ Beaufort devint Lady Strangford, connue pour ses œuvres de charité.

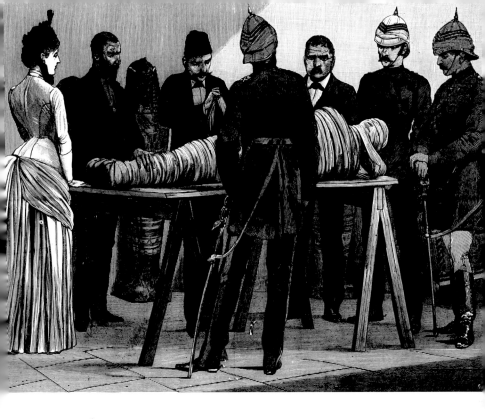

faim[11]» ! À leur sortie de Damas, elles furent attaquées par des bandits, alors qu'elles partaient pour Jérusalem ; sur une pente abrupte en descendant le mont Hermon, elles tombèrent de cheval et leur bonne perdit connaissance ; elles furent volées, mais récupérèrent leurs sacs près de la mer Morte. Elles poursuivirent alors leur route vers le nord, vers de nouvelles mésaventures en Turquie et en Grèce.

Même si la visite des harems faisait fureur, en Égypte comme à Constantinople, les pyramides exerçaient une fascination encore plus forte. Personne ne quittait Le Caire sans une excursion à Gizeh. Les nombreuses femmes qui décrivirent l'escalade des pyramides – Pfeiffer, Beaufort, Martineau – la déconseillaient aux femmes «sujettes au vertige», «susceptibles de paniquer» ou «pas entièrement sûres de leurs nerfs ou de leur *self-control*»[12].

Sophia Poole apporta une nouvelle mise en garde. Au cours de son voyage vers les pyramides, son groupe rencontra deux jeunes Bédouins qui un peu plus tôt avaient épié une très jolie Américaine et qui se disaient désireux de voir plus de beautés de ce genre. Le fait que Poole et ses compagnes soient voilées anéantissait leurs

Ascension de Pyramide N.º 8

espoirs. Mais les jeunes hommes admettaient avoir été tentés d'enlever l'Américaine. Ce qui inspira à Poole cette remarque : « Il est bon […] que ces Arabes sans loi soient tenus à une certaine obéissance par le présent gouvernement[13]. »

Voilà trois jours que j'ai fait cette promenade, ou plutôt ce voyage ; je suis encore brisée, j'ai des douleurs dans les bras, dans les jambes, et ne puis faire un mouvement sans souffrir ; c'est à peine si je puis tenir la plume pour vous raconter notre expédition, car c'en est une véritable.
– Olympe d'Audouard[14].

En 1864, quand Olympe d'Audouard gagna les pyramides à cheval, l'entreprise était encore difficile. Écrivain, soucieuse de la défense des droits des femmes, la Française Audouard avait déjà voyagé en Algérie, au Maroc, en Allemagne, en Russie, en Turquie et en Palestine. Son séjour en Égypte fut pimenté par un soupçon : le vice-roi d'Égypte, la prenant pour une espionne, la faisait surveiller. Elle le raconta dans son livre *Les Mystères de l'Égypte dévoilés* (1866), entre autres expériences.

Elle avait pour compagnons d'expédition un vieil Anglais et sa femme, et deux Parisiens. Ils devaient se retrouver à l'aube dans le salon de l'hôtel, mais parce qu'Audouard avait décidé de porter des vêtements masculins, il lui fallut un certain temps pour s'habiller, et, peu habituée à se lever avant midi, elle fut en retard.

La dame anglaise fut choquée à la vue d'Audouard en pantalon, refusant de croire que ses crinolines seraient un handicap. Mais l'Anglaise, montant en danseuse sur sa mule, risquait périodiquement de tomber, hurlant à chaque fois que le muletier tentait de la redresser. À califourchon, Audouard n'était guère mieux lotie ; la selle lui heurtait le bas du dos et lui broyait l'abdomen, mais au moins elle gardait l'équilibre. Aux pyramides, l'Anglaise refusa de monter, concédant à Audouard qu'elle avait eu raison.

Emily Beaufort fait de l'escalade une juste description :

La seule façon de bien se tirer de cette épreuve est de rester doucement passive entre les mains des trois Arabes alloués à chaque visiteuse. […] Ils savent mieux que quiconque de quelle façon attacher vos vêtements afin qu'ils n'entravent pas votre progression, et vous soulever pour que vous éprouviez le moins de fatigue et de désagrément possible, et le seul conseil que je donnerais à mes compatriotes femmes est

« Ascension de la pyramide n°8. » Photographie Abdullah Frères, vers 1886-1889.

Touristes devant le Sphinx, vers 1900.

de permettre à ces hommes de les soulever et de laisser leurs crinolines au Caire[15].

〜 Le seul souvenir d'extérieur que je garde de cette journée est une petite photographie. […] Elle représente le savant professeur et sa bonne épouse, dans l'affreux décor de la pyramide et du Sphinx.
— Mme R. L. Bensly[16].

On ne risquait pas d'oublier que des légions d'autres touristes avaient fait l'escalade. Parmi les noms graffités enlaidissant le sommet se trouvait celui du «rossignol suédois» Jenny Lind. «Fi pour elle!» écrivit Victoria Wortley[17].

Ce qui monte doit nécessairement redescendre; voici comment Ida Pfeiffer décrivait sa descente:

La plupart des gens trouvent cela encore plus difficile que l'ascension; mais pour moi, ce fut le contraire. Je n'ai jamais le vertige, alors, sans l'aide des Arabes, je procédai de la manière suivante. Pour les blocs les plus petits, je sautais de l'un à l'autre; quand je rencontrais une pierre de trois ou quatre pieds de haut, je me laissais glisser doucement en bas; et j'effectuai ma descente avec tant de grâce et d'agilité que je me retrouvai en bas de la pyramide bien avant ma servante. Même les Arabes exprimèrent leur approbation devant mon intrépidité dans ce parcours dangereux[18].

Presque tout le monde admirait les pyramides ; toutefois, Florence Nightingale, qui était en Égypte en 1850, n'eut aucun scrupule à les dénigrer. Elle pensait que son refus de s'évanouir de plaisir à leur vue ferait éternellement d'elle une paria, une «victime de la vérité». Florence et Rosamond Hill, qui firent un détour par l'Égypte et les pyramides en route vers l'Australie au début des années 1870, s'en débarrassèrent en une seule phrase : «Un coup d'œil sur Le Caire, l'ascension de la Grande Pyramide, et une visite à Memphis sont désormais des événements trop communs pour que nous nous risquions à vous les décrire[19].»

« Sac de Levinge ».
Les vertus de ce sac de couchage, inventé par Richard Levinge et destiné à tenir à l'écart moustiques et autres insectes, étaient vantées par Florence Nightingale, dans les pages de son journal relatant ses voyages en Égypte.

La nudité des Égyptiens était fréquemment remarquée par les voyageuses. Audouard déclara sans ambages que ses guides se dépouillaient de leurs vêtements pour aller nus comme au jour de leur naissance à la moindre occasion. Personne d'autre qu'Audouard n'aurait eu l'audace de décrire une défloration. Assistant à des noces selon le rite copte, elle réalisa que les coutumes étaient très différentes de ce qu'elle imaginait. Si bien que lorsqu'on lui proposa de rester pour les rituels du mariage, elle accepta volontiers. Horrifiée et fascinée à la fois, elle vit le mari pénétrer dans la chambre nuptiale et, en présence de l'assistance féminine, priver cérémonieusement sa jeune épouse de sa virginité. Un mouchoir blanc attestant la réussite du rituel était soumis à ceux qui attendaient hors de la pièce[20].

Lucie Duff Gordon, qui vécut à Louxor de 1862 à 1869, dans un effort pour lutter contre la tuberculose, était également franche dans ses descriptions. Elle était née à Londres, cultivée et habituée aux conversations stimulantes d'un cercle littéraire très lié auquel appartenaient Tennyson, Dickens et Thackeray.

Avant de s'installer en Égypte elle avait d'abord essayé l'Afrique du Sud, s'y rendant par bateau avec sa bonne, Sally Naldrett, et une chèvre. Au cours d'une série de tempêtes, elle s'était fait attacher à un pilier sur le pont du *St Lawrence*, pour mieux jouir du spectacle de l'ouragan. De retour en Angleterre l'année suivante, elle repartit pour l'Égypte l'hiver d'après,

Lucie Duff Gordon.
Dronsart, 261.

Esquisse de Marianne
North en train de peindre,
île Éléphantine, Égypte.
R. Phené Spiers, North 1893,
en regard de la p. 133.

toujours avec Sally. Son premier sentiment en arrivant à Alexandrie, semblable à celui de beaucoup d'autres voyageurs, avait été le désarroi. Mais au Caire elle avait eu la bonne fortune de trouver Omar, un dragoman qui resterait avec elle durant tout son séjour en Égypte, et elle prit plaisir à organiser un voyage à Louxor en *dahabiya*.

Elle décrivit ces années dans ses lettres adressées à sa famille. N'étant pas destinées à être publiées, elles révèlent une voyageuse dotée d'un sens de l'humour et d'une ouverture d'esprit peu communs à l'époque. Elle exprima franchement son admiration pour les jeunes femmes indigènes dans une lettre à son mari : « Si je peux trouver une belle *fellahah* ici, je la ferai photographier pour vous montrer, en Europe, ce que peut être une poitrine de femme, car je l'ignorais avant de venir ici – c'est la plus belle chose du monde. La danseuse que j'ai vue faisait bouger ses seins par un effort musculaire extraordinaire, d'abord l'un puis l'autre ; on aurait dit des pamplemousses, et glorieusement indépendants de tout corset ou soutien[21]. »

Elle devint la confidente de nombreux Égyptiens et s'impliqua dans les problèmes locaux, dispensa médicaments et conseils, et reçut des visiteurs européens, dont Edward Lear, Katherine Petherick et Marianne North. Son égalité d'humeur était rarement prise en défaut, mais elle ne pardonna pas à Sally l'enfant qu'elle eut avec

Omar (la conduite de ce dernier lui semblait pourtant plus stupide que répréhensible)[22].

Le climat chaud de Louxor ne put la sauver. Elle mourut en juillet 1869. Ses lettres d'Égypte, publiées en 1865 et 1875, sont un précieux témoignage du tourisme tel qu'il se pratiquait le long du Nil, avec l'apparition des bateaux à vapeur et le percement du canal de Suez, ainsi que de l'état politique et économique du pays, et des coutumes et attitudes des habitants. Elle faisait l'éloge de l'ouvrage de sa cousine Harriet Martineau *Vie orientale* pour ses descriptions de paysages, mais critiquait son attitude étroite et paternaliste, révélée dans d'éloquentes déclarations : « Nous les avons traités comme des enfants et n'avons eu qu'à nous en féliciter[23]. »

De nombreux voyageurs, et notamment des femmes, cédaient à la violence. Ida Pfeiffer, qui se révélerait par la suite une irréprochable voyageuse dans des circonstances éprouvantes, se sentit contrainte de fouetter un muletier. Elle explique l'incident dans sa *Visite en Terre sainte, Égypte et Italie* (1852) : « Je veux seulement donner aux voyageurs à venir un conseil quant à la meilleure façon de traiter ces gens. On ne peut être assuré de leur respect que si l'on fait preuve à leur égard d'une ferme volonté ; et je suis certaine que, dans mon cas, ils étaient d'autant plus intimidés qu'ils ne s'attendaient pas à trouver une telle détermination chez une femme[24]. »

L'Égypte devint, comme le disait Emily Beaufort, « à la mode et surpeuplée » ; autrement dit dépassée pour ceux qui étaient à la recherche de nouvelles expériences. Toutefois, poursuivre le voyage consistait à traverser l'inhospitalier désert de Libye ou à remonter le Nil par bateau jusqu'en Nubie. L'itinéraire du désert restait peu attirant. Je n'ai pas trouvé trace d'une femme ayant tenté ce voyage. En général, celles qui allaient au sud rebroussaient chemin à Assouan, même si certaines allèrent jusqu'à Abou Simbel et Wadi Halfa. Tout ce que l'on savait des terres situées au-delà, c'est qu'elles étaient dangereuses, infestées de maladies mortelles et habitées par des Africains gigantesques et dénudés. Quel que fût le moyen de s'y rendre, ce n'était pas un endroit pour une dame.

Afrique
Un continent interdit aux dames ?

AVANT QU'EMILY BEAUFORT NE REVIENNE À REGRET vers Le Caire, après avoir poussé vers le sud jusqu'à la deuxième cataracte du Nil, elle grava son nom sur le rocher qui comportait déjà «quelques noms prestigieux», attestant de son incroyable voyage jusqu'aux frontières de l'Afrique[1]. En 1859, l'année de sa visite, peu d'Européennes avaient été aussi loin. Mais de 1861 à 1864, la Nubie attira quatre des plus importantes voyageuses en Afrique : Katherine Petherick, Florence Baker, et Alexine et Harriet Tinne.

AFRIQUE CENTRALE

Voyages en Afrique centrale (1869) de Katherine et John Petherick décrivait les expériences du couple au Soudan pendant le difficile mandat de Petherick en tant que consul britannique. Essentiellement écrit pour le disculper des accusations de trafic d'esclaves et d'incompétence, le livre fourmille de détails liés au frisson de la découverte. Katherine se rendait pour la première fois en Afrique, son mari pour la deuxième.

Au moment où les Petherick arrivèrent à Khartoum, en octobre 1861, les capitaines John Speke et James Grant avaient déjà entrepris leur grande exploration du Nil. Les Tinne, la fille, la mère et la tante, n'arriveraient pas avant avril de l'année suivante. Samuel Baker et sa future épouse Florence étaient partis pour l'Abyssinie (Éthiopie) en mai 1861, avant d'aller à Khartoum en juin 1862.

Voyageant du Caire à Khartoum en *dahabiya* et à dos de chameau, les Petherick endurèrent la chaleur torride, une tempête dévastatrice et le fléau des scorpions. La tombe de Mary Walton, morte un peu plus tôt dans l'année, et non loin de là, près du village d'Abou Hamid, celle d'Andrew Melly, un Anglais né en Suisse, mort des fièvres dix ans plus tôt, étaient un rappel poignant des risques encourus.

Katherine transportait un piano qui avait été conçu en deux morceaux pour faciliter les déplacements mais, à ce détail près, elle avait du sens pratique. Pour aller à dos de chameau, elle portait «des bottes turques en cuir jaune, très larges et inconfortables, des pantalons

Florence Baker.
Extrait de The Nile Tributaries of Abyssinia, 1868, reproduit dans Harper's Weekly, 28 juin, 1873, 561.

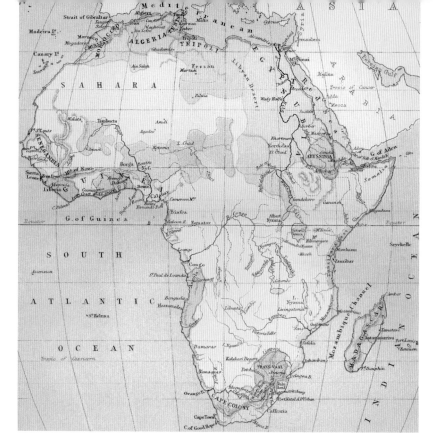

turcs et par-dessus une jupe marron de Hollande ou une combinaison, et une jaquette de flanelle blanche avec de très larges poches». Elle cacha son miroir pour s'épargner la souffrance de voir quelle effrayante allure était la sienne[2].

À leur arrivée à Khartoum, ils commencèrent comme convenu à préparer une expédition de renfort pour Speke et Grant. Des bateaux furent dépêchés en avance, mais pour les Petherick eux-mêmes, partir était plus vite dit que fait. Il fallait se procurer des vivres et organiser leur transport, puis le vent s'en mêla et la crue du Nil fut plus haute qu'elle ne l'avait été depuis des années. Lorsqu'ils embarquèrent finalement, le 20 mars 1862, ils entrèrent en collision avec un autre navire. Des trombes d'eau envahirent les cabines, et il fallut constamment colmater de nouvelles fuites.

À leur grande surprise, ils croisèrent l'un de leurs navires chargé d'esclaves, qu'ils libérèrent avant de laisser le bateau repartir. Ils poursuivirent leur route sans réaliser que cet acte leur vaudrait la haine des marchands arabes et européens, et des accusations portées contre John pour avoir participé à la traite des esclaves.

Pour l'heure, ils avaient des soucis plus immédiats. L'air était froid et humide, les moustiques régnaient en maîtres et, dans leur entourage, beaucoup succombaient aux fièvres. En juillet 1862, au début de la saison chaude, Katherine fut affaiblie par la fièvre et la dysenterie. Imperturbablement, elle continua à prendre des notes dans son journal ; elle y décrit sa tenue : « une courte combinaison en lin épais, des guêtres de cuir, des bottes solides, une veste en tissu, des gants de cuir et un chapeau de paille […] ; autour de ma taille, un pistolet revolver à cinq barillets, calé dans un petit étui ». L'ami qui lui avait donné cette arme écrivit : « Il semble étrange d'offrir à une dame une arme aussi meurtrière, mais vous allez voyager pendant des milliers de miles dans des contrées où même les boutons de votre robe sembleront une mine de richesse à leurs sauvages habitants. Que vous n'ayez jamais besoin de vous en servir est mon souhait le plus sincère[3]. »

John et Katherine Petherick.

Petherick 1869, vol. 1, frontispice.

Un mois plus tard, John poursuivit le récit, preuve de la gravité de la maladie de Katherine. Peu après, un journal londonien annonçait leur mort par noyade : ils n'en eurent connaissance que près d'un an plus tard. Ils n'étaient pas morts le moins du monde, mais ils n'en avaient pas été loin tant la fièvre les avait éprouvés.

Vers le 15 février 1863, quand ils arrivèrent à Gondoroko, quatre mois après la date convenue avec Speke et Grant, les explorateurs avaient disparu. Les Petherick entreprirent un bref voyage de reconnaissance. En leur absence, Samuel et Florence Baker arrivèrent au poste de commerce, suivis de Speke et Grant. Quand les Petherick rentrèrent peu après, Speke, furieux du retard du consul, refusa leurs denrées et leur préféra celles de Samuel Baker. De retour en Angleterre, Speke accusa Petherick de négligence dans sa fonction et multiplia les pressions pour faire fermer le consulat.

Durant les quatre mois qui suivirent, jusqu'à leur retour à Khartoum, les Petherick luttèrent contre le typhus et la malaria. Reprenant finalement l'exténuant trajet le long du Nil, qui les ramenait au Caire, Katherine, si enthousiaste à l'aller, aurait voulu s'allonger et mourir. Mais elle tint bon jusqu'à Assouan où elle recouvra la santé. De retour au Caire, ils apprirent le décès de Speke ; il s'était accidentellement tué avec un fusil de chasse.

On vendit aux Baker
des chameaux
prétendument «bons
pour une dame [4]».
Émile Bayard, *Tour du monde* 21,
1870-1871, 129, adapté de
The Nile Tributaries of Abyssinia.

Dans les dépêches qu'il envoyait à Londres au cours de ses expéditions de 1861 à 1864 en Abyssinie et au Albert Nianza (lac Albert), l'explorateur Samuel Baker, un veuf d'une quarantaine d'années, ne mentionna jamais sa compagne de voyage, une jeune fille de vingt ans du nom de Florence Barbara Maria Finnian (von Sass). Il y avait des raisons à sa discrétion ; non seulement ils n'étaient pas mariés, bien que voyageant comme mari et femme, mais il l'avait achetée sur un marché aux esclaves dans une ville des Balkans, Widden (Vidin), deux ans plus tôt ; personne dans la famille de Baker ne connaissait son existence. Sa famille à elle (des Hongrois de Transylvanie, aujourd'hui Roumanie) avait été massacrée en 1848 ; Florence avait survécu, on ne sait trop comment, et s'était retrouvée vendue à l'encan[5].

Samuel avait d'abord voulu partir à la recherche de la source du Nil Blanc, mais il en avait été dissuadé par la Royal Geographical Society qui soutenait Speke et Grant. Le couple explora donc les affluents du Nil Bleu. Au terme d'un voyage d'un an extrêmement difficile, au cours duquel ils n'échappèrent ni aux maladies ni aux conflits avec les Abyssiniens, ils arrivèrent à Khartoum vers la mi-juin 1862. Quand Samuel rencontra Speke et Grant à Gondokoro, ils lui parlèrent d'une autre source possible, le lac qui prit le nom d'Albert Nyanza[7].

L'expédition sur le Nil Blanc fut encore plus spectaculaire que l'aventure abyssinienne. Désormais, les Baker avaient des démêlés

Si convoiter les honneurs est un péché, alors M. Baker doit être l'une des plus grandes âmes pécheresses vivantes. Il semblerait qu'il n'ait pas eu d'autre motif pour se lancer dans cette entreprise périlleuse, alors qu'il avait une excellente raison de ne pas le faire — il était marié, et une épouse, au premier abord, pourrait sembler plutôt une entrave qu'une aide pour le voyageur aventureux traversant des régions inconnues, confronté à des hordes barbares, des scènes de maladie, d'épuisement, de danger et de mort [...] ; mais, comme la sécurité fleurit souvent au cœur du danger, et ce qui semblait faiblesse peut soudain se changer en force, Mme Baker devint une aide plutôt qu'un handicap[6].

Samuel et Florence Baker.
Les costumes africains
de Florence furent décrits
comme masculins par
Harriet Tinne, mais,
sur les gravures,
sa jupe légèrement levée
et ses bottes semblent être
ses seules concessions
à l'aventure.
A. de Neuville, *Tour du monde* 15, 1867, 9.

Une fête pour le retour.
Tour du monde *utilisa*
cette illustration du livre
de Baker, L'Albert
N'yanza, *pour ses extraits,*
en exagérant l'événement.
Florence paraît cruellement
déplacée, avec sa robe à
crinoline et son éventail.
A. de Neuville, *Tour du monde* 15,
1867, 37.

non seulement avec les Africains mais aussi avec les marchands d'esclaves, qui voyaient en eux une menace pour leur commerce. Les maladies du couple n'en étaient qu'à leur début; Florence frôla la mort de si près que Samuel ordonna qu'on lui creuse une tombe[8].

L'expédition atteignit son but en mars 1864. En novembre, ils entreprirent le difficile voyage de retour. À Gondokoro, où ils espéraient trouver des provisions en attente, ils ne trouvèrent rien et continuèrent vers Khartoum, sur un bateau qui avait transporté des pestiférés[9]. Le couple parvint à rentrer au Caire, puis à Londres.

Durant leur voyage en Afrique, Florence avait été présentée aux autres voyageurs en tant que Mme Baker, et lorsqu'ils rentrèrent en Angleterre, à la fin de l'année 1865, Samuel avait décidé de l'épouser – la cérémonie fut tenue secrète –, ce qui lui permit de l'associer officiellement à ses livres *L'Albert N'yanza* (1866) et *Les Affluents du Nil en Abyssinie* (1867).

Ils furent fêtés par la Royal Geographical Society et Samuel devint chevalier. Sir et Lady Baker retournèrent en Afrique centrale, au début de 1870. Ils y restèrent jusqu'au milieu de l'année 1873, chargés par le khédive Ismaïl d'aider à mettre un terme au commerce des esclaves. Ce fut leur dernier voyage en Afrique. Florence s'habitua au confort de la vie en Angleterre, tandis que Samuel rêvait d'un retour qu'il n'effectuerait jamais.

Les aventures africaines d'Alexine (ou Alexandrine) Tinne et de sa mère Harriet Tinne sont dignes de la légende. Ces deux Hollandaises – la fille de vingt-six ans et la mère de soixante-trois – partirent en

1862 pour explorer le Nil et parvinrent à Gondokoro. Accompagnées par Adriana Van Capellen, la sœur d'Harriet, âgée de quarante-huit ans et dotée d'un grand courage, elles firent face aux maladies et aux sentiments mitigés que suscitaient tous les explorateurs de la région. On s'émerveillait de la bravoure de ces femmes, on les accusait de faire de l'exploration de l'Afrique une promenade de fin de semaine, et on leur jalousait l'incroyable richesse qui leur permettait de mener leurs expéditions avec des moyens bien supérieurs à ceux des autres explorateurs.

Ce que l'on connaît de leurs aventures vient, d'une part, de ce qui reste du journal d'Harriet et de sa correspondance et, d'autre part, des récits d'autres voyageurs comme les Petherick. Les Baker étaient sur le Nil au même moment qu'elles, mais ne les rencontrèrent jamais. *Les Voyages d'Alexine* de Pénélope Gladstone, un récit d'une lecture très aisée, fut publié en 1970.

Alexine était l'héritière de l'immense fortune amassée par son père dans le commerce du sucre. Après sa mort en 1845, mère et fille, coutumières du voyage, continuèrent leurs pérégrinations, d'abord en Europe, puis en Égypte où elles firent deux croisières sur le Nil. Elles se rendirent ensuite en Terre sainte, d'où elles firent le difficile voyage jusqu'à Palmyre. Au début de 1862, elles remontèrent une fois encore le Nil, jusqu'à l'intérieur de l'Afrique.

Elles quittèrent Le Caire en janvier 1862, sur trois *dahabiyat*, accompagnées d'Adriana Van Capellen, de leur cuisinier égyptien, Halib, à leur service depuis 1857, et du janissaire Osman Aga, qui suivait leurs visites en Égypte depuis 1856. Avec elles voyageaient aussi deux domestiques égyptiens, plusieurs serviteurs hollandais, des gardes, et Flora et Anna, les bonnes européennes des Tinne. Elles emmenaient un cheval, un âne, cinq chiens et des monceaux de bagages, comprenant l'équipement photographique et la nourriture pour un an. À Korosko, à peu près à mi-chemin, elles quittèrent les bateaux et poursuivirent par voie de terre avec cent deux chameaux et de nombreux ânes pour transporter leur matériel. Elles arrivèrent à Khartoum en avril, où elles furent confrontées aux premières désertions. Les serviteurs hollandais repartirent vers le nord.

Elles obtinrent une *dahabiya* et un bateau de vivres pour l'étape suivante, la remontée du Nil Blanc, avec le seul bateau à vapeur de Khartoum, (qu'elles louèrent pour leur usage exclusif) pour les remorquer sur une partie du chemin. Après bien des difficultés, elles atteignirent Jebel Dinka, plaque tournante du commerce des esclaves. Elles restèrent là le temps qu'il fallait pour qu'Harriet puisse

Alexine Tinne (à gauche)
et Harriet Tinne.
Émile Bayard, *Tour du monde* 22,
1870-1871, 292 et 293.

retourner à Khartoum, en quête de nouvelles provisions et en vue de s'occuper des réparations. Halib l'accompagna car il avait besoin d'un traitement médical. Son séjour à Khartoum coïncida avec celui des Baker, mais ils ne se rencontrèrent pas. Ce ne fut pas un mal car la réquisition du bateau à vapeur par les Tinne avait compliqué les plans de Samuel et il était furieux[10].

Au retour d'Harriet, le groupe poursuivit sa route vers le sud en traversant le Sudd, une partie du fleuve souvent rendue impraticable par l'épaisse végétation. La maladie frappa Alexine et une partie de l'équipage. Puis, alors qu'ils approchaient Gondokoro, Osman Aga mourut en essayant de prévenir un accident sur l'une des *dahabiyat*[11]. Cette tragédie inaugura une série de désastres.

Elles arrivèrent à Gondokoro le 30 septembre 1862. Vers la fin d'octobre, Adriana Van Capellen et quelques Égyptiens, lassés, rentrèrent à Khartoum, croisant les Baker qui venaient tout juste de partir. Samuel écrirait plus tard qu'il avait fait tirer une salve pour les saluer et qu'ils avaient agité des mouchoirs en direction les uns des autres. Il ajouta qu'il n'avait pas la moindre idée de ce qui les attendait[12].

Alexine organisa une deuxième expédition, au sud vers le lac No, puis à l'ouest vers le Bahr al-Ghazal. Elles partirent le 5 février 1863, cette fois avec les scientifiques allemands Hermann Steuner, qui devait mourir peu après, et le baron von Heuglin,

ainsi qu'un Hollandais, le baron d'Ablaing. Van Capellen resta à Khartoum[13].

Le Bahr al-Ghazal.
E. Tournois, d'après une gravure de *Plantæ Tinneonæ, Tour du monde* 22, 1870-1871, 292.

Quelques jours plus tard, Samuel Baker écrivit à John Petherick : « Les dames hollandaises sont parties avec le steamer pour le Bahr al-Ghazal, dans l'intention d'atteindre Mundo et d'aller à l'équateur. Elles ont avec elles une escorte importante. On devrait faire construire un établissement public à l'équateur, où les voyageurs pourraient s'arrêter boire un verre de bière : cela devient un itinéraire à la mode[14]. » Ce qu'on enviait surtout aux Tinne, c'était leur argent. Baker les accusait de faire monter les prix, mais on peut se demander s'il s'agissait là d'une critique justifiée ou de jalousie pure et simple.

Speke et Grant avaient réussi à rentrer à Khartoum ; ils y rencontrèrent Adriana Van Capellen et l'avertirent que sa sœur et sa nièce s'exposaient à quantité de dangers imprévus. Ils avaient raison. Lorsque l'expédition regagna Khartoum le 29 mars 1864, ils avaient été escroqués, pris en embuscade, accusés à tort de faire le commerce d'esclaves, et ils étaient affamés. De plus, la maladie avait cruellement éclairci les rangs. Mais ils avaient réussi à atteindre le Bahr al-Ghazal et rencontré les Petherick qui les aidèrent à réassortir leurs provisions presque épuisées. Entre les Tinne et Heuglin, le groupe avait plus de trois cents porteurs, serviteurs, gardes et parasites[15].

Ils dépassèrent le village de Wau et continuèrent encore quelques jours jusqu'à un petit poste de commerce, où ils furent contraints de s'arrêter en prévision de pluies imminentes. Alexine partit en avant à la recherche d'un lieu propice à l'établissement d'un campement. En son absence, Harriet qui, de toutes, était celle qui jouissait de la meilleure santé, tomba malade et mourut le 22 juillet. Sa fille en fut extrêmement éprouvée et décida de rentrer à Khartoum, même si cette décision revenait à renoncer à tout ce qui lui avait coûté tant d'efforts. Comme le mauvais temps empirait, l'organisation de son départ s'éternisa et un mois plus tard, alors qu'elle était toujours au campement, Flora mourut. Âgée de soixante ans, elle avait servi les Tinne pendant de nombreuses années[16].

À Khartoum, Adriana Van Capellen s'inquiéta. Sans nouvelles de l'expédition, elle fit envoyer des provisions. Le groupe de sauvetage rencontra Tinne – et son escorte comprenant alors quatre cent cinquante personnes – alors qu'elle atteignait Wau en janvier 1864. Puis, le 22 janvier, Anna mourut[17].

Van Cappelen, malade elle aussi, parvint à survivre jusqu'au retour de sa nièce. Katherine Petherick, qui n'avait qu'admiration pour Adriana, écrivit quelques mois plus tôt : « Je suis mal à l'aise en pensant à cette chère Miss Von Capellan [*sic*] : ce n'est pas un lieu pour elle. Elle est la plus grande héroïne que je connaisse. Elle s'est sacrifiée durant son long séjour solitaire à Khartoum, sans âmes sœurs, dans l'attente exclusive du retour de ceux qui lui sont chers[18]. »

Alexine et les quatre cercueils, ceux de sa mère, sa tante, Flora et Anna, partirent pour Le Caire en juillet 1864. Mais l'espace manque pour décrire en détail son séjour au Caire, sa croisière en Méditerranée et l'achat du yacht *Meeuw*. Nous la retrouverons donc directement à Alger en 1867, préparant une expédition au Sahara.

AFRIQUE DU NORD

Accompagnée d'une équipe de plusieurs dizaines de personnes, comprenant les marins hollandais de son yacht et leurs épouses, Abdullah, son serviteur du Caire, et les chameaux, chevaux et conducteurs, Alexine Tinne quitta Alger au début de 1868 et partit vers le sud, en direction de l'oasis de Touggourt. Le mauvais temps et les récriminations des marins firent tourner court l'expédition. Après

Alexine Tinne et son entourage à Alger.
Émile Bayard, *Tour du monde 22*, 1870-1871, 301.

une pause à Malte, elle se rendit à Tripoli, puis lança une nouvelle expédition pour traverser le Sahara le 30 janvier 1869. Cette caravane, moins chargée, démarra sous de meilleurs auspices. N'avoir emmené que deux marins hollandais était sans doute plus sage. En mars, ils avaient couvert 800 kilomètres et atteignirent la ville de Murzuk. Là, Tinne tomba gravement malade et dut s'arrêter. À sa guérison, la caravane se remit en route. Deux semaines plus tard, le 1er août 1869, elle mourait, blessée d'un coup de fusil[19].

Les récits de son meurtre sont confus et contradictoires, mais sa mort résulta probablement d'une dispute entre des membres de son expédition et ceux d'une autre caravane. Il semblerait qu'elle ait voulu intervenir. L'un de ses marins fut poignardé et Tinne eut la main coupée ; puis les balles commencèrent à voler et ils furent tous les deux touchés. Sa caravane fut pillée, et les survivants revinrent comme ils purent pour raconter leur tragique histoire[20].

Jusqu'à cette époque, la Libye attirait peu de voyageuses. La première que je puisse y trouver fut celle à qui l'on donna le nom de Miss Tully, prétendument la sœur du consul de Tripoli, Richard Tully. On lui attribuait *Récit de dix ans de résidence à Tripoli en Afrique*

(1816). Bien que la préface la compare à Lady Montagu, le récit, distancé et probablement apocryphe, est très différent de ses écrits. Les commentaires sur l'architecture, les costumes et habitudes de la famille royale, les cafés, le climat, la peste, la famine, les harems et le train de vie du consul abondent, mais on apprend peu de chose sur la façon dont elle vivait. Elle décrit Tripoli de 1873 à 1893, date à laquelle la guerre civile chassa sa famille d'Afrique. Miss Tully pourrait bien avoir été une fiction, créée par un écrivain anonyme.

Contrairement à la Libye, le Maghreb était une région fertile et accessible, jadis convoitée par les Phéniciens et les Romains. Pourtant, dans les régions inhabitables, comme le *bled* au sud du Maroc, la colonisation s'était limitée aux zones littorales. Dès 1844, la France contrôlait de larges étendues de terres cultivables et encourageait les familles françaises à s'installer au Maghreb. L'Espagne et l'Angleterre avaient aussi des intérêts limités dans la région, et pourtant les voyageuses ne furent pas nombreuses à s'y rendre.

Lady Montagu est à ma connaissance la première femme à avoir écrit sur l'Afrique du Nord. Elle visita Tunis en juillet 1718 et bavarda avec les femmes de Carthage. Mais elle eut peu de chose à dire qui ne soit insultant. La princesse Caroline avait fait voile vers Tunis en avril 1816, exaltée à l'idée de libérer des chrétiens en esclavage. Elle trouva le lieu enchanteur et réussit à pique-niquer à Carthage, avant que Lord Exmouth, lui-même chargé de libérer des esclaves, lui ordonne de partir[21].

Elizabeth Marsh était à bord d'un bateau rentrant de Gibraltar en Angleterre, en 1756, lorsque des pirates de Barbarie se lancèrent à l'abordage. Elle et ses compagnons de voyage – parmi eux un certain James Crisp qu'elle dut présenter comme son mari pour plus de sécurité – furent conduits dans la ville marocaine de Salé, puis transportés par mule à Marrakech, où ils furent emprisonnés. Marsh fut très affectée par sa captivité. Les mauvaises conditions de voyage et de vie, l'incertitude quant à son avenir et l'angoisse liée à la séparation de sa famille la rendirent incapable de saisir le caractère unique de son expérience. À sa libération quelques mois plus tard, elle épousa M. Crisp et écrivit le journal de ses tribulations[22].

Les récits de voyage des Françaises en Afrique du Nord ne sont pas aussi nombreux que le laisserait supposer l'implication de la France dans cette région. Aurélie Picard, qui vécut en Algérie de 1871 jusqu'à sa mort en 1933, ne laissa pas de récit, mais son histoire captiva l'imagination d'au moins trois biographes. Moins voyageuse qu'aventurière, issue d'une famille de petite bourgeoisie, elle rêvait

« Dames anglaises visitant la maison d'un Maure. »
J. B. Burgess, *ILN*, 20 février 1875, 173.

de devenir riche. Lorsque à Bordeaux son regard croisa celui du cheikh algérien Sidi Ahmad al-Tijani, corpulent, mais exotique et riche, elle saisit sa chance. Ils se marièrent en 1871, malgré l'opposition de leurs familles et gouvernements respectifs. Elle le suivit à Alger, résidant d'abord dans un luxe relatif, puis dans l'isolement de son village aux murs de terre, Aïn Madhi. Aurélie Picard prit immédiatement les choses en main. Les deux femmes du cheikh furent renvoyées séance tenante★. Elle introduisit la cuisine et le mobilier français. Elle apprit l'arabe, et les subtilités de la fraternité religieuse de son mari – l'ordre soufi de Tijaniya –, et contrôla les finances du foyer[25].

En 1883, avec une bourse du gouvernement, Aurélie Picard engagea des centaines d'artisans de talent pour se faire construire une maison là où sera fondé le village oasis de Qurdan (Kourdane). Elle avait également une maison à Alger dans laquelle elle installa sa mère. Tout n'était pas paradisiaque. La richesse qu'elle amassait la fit soupçonner d'être une espionne à la solde des Français, et son mari mourut en avril 1897. Elle épousa alors le frère de ce dernier, pour

---

★ Aurélie Picard en découvrit une troisième, jusqu'alors cachée, lorsque cette dernière produisit un fils, Ali, sept ans plus tard. Elle escorta personnellement la femme hors de la ville, puis éleva Ali comme son beau-fils[23].

des raisons financières. Lorsqu'il mourut en 1911, elle s'installa à Alger pour prendre soin de sa mère mourante et de son beau-fils atteint d'un cancer. Après leur mort, elle rentra en France, mais n'y fit qu'un bref séjour. Incapable de s'adapter au froid de ce pays devenu peu familier, elle retourna en Algérie[26].

Pour l'écrivain Isabelle Eberhardt, née en Suisse, le pays ne fut que le lieu d'un lent dépérissement. De temps à autre, elle revêtait l'apparence d'un Algérien, répondant au nom de Si Mahmoud. Avec pour langues maternelles le russe et le français, elle en vint à parler couramment l'arabe et à adopter la religion musulmane[27].

Eberhardt se rendit pour la première fois en Algérie en mai 1897, avec sa mère, Mme Nathalie de Moerder, une femme frêle de cinquante-sept ans qui se convertit à l'islam et mourut dans la même année. À partir de cette date, Eberhardt voyagea inlassablement entre l'Algérie et la France, se faisant souvent passer pour un homme, qu'il s'agisse de Si Mahmoud ou d'un Européen*. Ses biographes pensent que l'acceptation d'Isabelle sous son identité de Si Mahmoud était, de la part des Algériens, une marque de politesse plus que de crédulité[28].

Dans l'été 1900, elle rencontra Slimène Ehnni, un officier des spahis de vingt-quatre ans, et ils se marièrent. En novembre de la même année, elle fut initiée à la fraternité de l'ordre soufi des Qadryas. Elle se rasa les cheveux, mit des vêtements arabes et vécut à la dure. Perpétuellement à court d'argent, elle préférait dépenser le peu qu'elle avait dans l'achat de kif ou d'absinthe qui permettaient l'oubli. Naturellement mince, elle devint anormalement maigre[30].

Des officiels français la soupçonnaient de les espionner ; d'autres la considéraient comme «névrotique et désaxée». Commentant sa présence dans la ville saharienne d'El Oued, le capitaine Gaston Cauvert, directeur du Bureau des affaires arabes, écrivit qu'elle était là «essentiellement pour satisfaire impunément ses goûts dissolus et son penchant pour les indigènes, dans un lieu où les Européens sont rares[31]».

On tenta de la tuer à Behima, en février 1901. Une fois remise de l'agression, elle fut expulsée et revint à Marseille. Trois mois plus tard, rappelée pour témoi-

> ⁓ Pour l'instant, je n'aspire qu'à… dormir dans le silence et la fraîcheur de la nuit, sous des étoiles filantes tombant de très haut, avec pour toit l'immensité sans fin du ciel, et pour lit la chaleur de la terre, en sachant que personne, où que ce soit sur la Terre, ne se languit de moi, que nulle part l'on ne me regrette ou l'on ne m'attend. Savoir cela, c'est être libre et sans entraves, nomade dans le grand désert de la vie où je ne serai jamais rien d'autre qu'une étrangère.
> — Isabelle Eberhardt[24].

---

* Eberhardt se faisait appeler Pierre Mouchet à son retour à Marseille en 1901[29].

gner contre son assassin présumé, elle s'aperçut qu'il lui faudrait porter des vêtements européens pour paraître devant le tribunal, mais, comme elle l'écrivit à Slimène, chargé de lui acheter une tenue, elle n'avait pas les moyens de s'habiller en femme :

> L'on voit bien que tu ignores ce qu'il faut pour être habillée, non pas bien, mais enfin passablement et en Française : perruque (cela coûte, pour une tête rase comme la mienne, de 15 à 20 francs, car une simple natte ne suffit pas), chapeau, linge, corset, jupons, bas, souliers, gants, etc. […] La seule concession que je ferai sera de ne plus m'habiller en Arabe, la seule chose qui pourrait prévenir les autorités contre moi[32].

Après le procès final en juin, pour lequel elle décida de porter des vêtements de femme indigène, Eberhardt fut de nouveau expulsée d'Algérie. À Marseille, elle rencontra Lydia Paschkoff qui lui avait envoyé des lettres admiratives. En janvier 1902, elle était de retour en Algérie et rencontra le colonel Lyautey, l'un des architectes de l'Afrique coloniale, qui apprécia sa connaissance de l'Algérie. Tout en établissant pour lui un rapport sur la région du Sud oranais, elle arriva à Aïn Sefra où elle tomba malade et fut hospitalisée quelques jours. Le 24 octobre 1904, peu après sa sortie, Eberhardt fut emportée par une inondation soudaine et mourut à l'âge de vingt-huit ans[33].

AFRIQUE OCCIDENTALE

Les Portugais furent les premiers Européens à s'intéresser à l'Afrique occidentale, lorsque, au XVᵉ siècle, ils en cartographiaient les côtes pour la contourner. Au moment où, suivis des Anglais, des Français et des Espagnols, ils s'y installèrent, l'exploration de ces régions débuta. Le résultat fut brutal et inattendu : le commerce des esclaves, qui s'était jusqu'alors limité à l'Afrique, s'étendit à l'Europe et aux colonies du Nouveau Monde.

Des esclaves furent transportés aux Amériques à partir du XVIᵉ siècle. Vers la fin du XVIIIᵉ siècle, beaucoup de ceux qui s'étaient échappés pendant la guerre d'Indépendance choisirent de retourner dans leur patrie ancestrale : la Sierra Leone, ou « Province de la liberté », fut fondée dans ce but par des abolitionnistes anglais. La colonie, éparpillée sur des lopins de terre infertile, connut un taux de mortalité très élevé. Les provisions étaient rares et subvenir à ses propres besoins, pratiquement impossible.

Au début de 1791, une jeune femme de Bristol, âgée de vingt-cinq ans, Anna Maria Falconbridge, se trouvait sur un bateau en direction de la Sierra Leone. Elle accompagnait son mari, Alexander, un chirurgien ayant autrefois servi sur des bateaux négriers, alors à la tête d'une expédition de secours. L'ouvrage d'Anna Maria, *Récit de deux voyages en Sierra Leone pendant les années 1791-1792-1793* (1894), est peut-être le premier consacré à ce pays et rédigé par une Anglaise. Elle écrivait avec franchise, dévoilant des détails choquants pour l'époque : des femmes anglaises vivant avec des Noirs libérés ou sa première vision d'un camp d'esclaves. Elle ne passait pas sous silence les colères de son mari ni son penchant pour la boisson, qui devaient d'ailleurs lui coûter son travail. Les Falconbridge furent rappelés à la fin de l'année 1792. Mais avant même leur retour en Angleterre, Alexander, déjà atteint de fièvres, but jusqu'à l'anéantissement et mourut le 28 décembre 1792.

Anna épousa très vite Isaac Dubois, un Blanc loyaliste de Caroline du Nord, le 7 janvier 1793. Le couple rentra en Angleterre en juin, en passant par la Jamaïque, sur un bateau négrier. Elle fut agréablement surprise en découvrant de quelle façon décente les esclaves étaient traités ; ils mangeaient correctement, leurs quartiers étaient spacieux et propres. Seul un jeune homme déjà malade mourut au moment de l'embarquement. Le capitaine faisait peut-être des efforts de bonne conduite, sachant qu'Anna écrivait un mémoire. Si tel était le cas, il fut récompensé. Elle était heureuse d'avoir quelques mots à dire en faveur de l'esclavage[34]. Elle passa les années qui suivirent à essayer d'obtenir le remboursement de quelques petites sommes qui leur étaient dues, à elle et à son défunt mari. Son livre faisait partie de cette campagne, mais de l'auteur, on ne sait pas grand-chose de plus.

C'est au large de la côte sénégalaise que s'échoua *La Méduse* en 1816, qu'immortalisa le tableau de Géricault. La France et l'Angleterre se disputaient la région, revenant en théorie aux Français. La famille Picard★ voguait sur *La Méduse* lors du naufrage. Mlle Picard, devenue par la suite Mme Dard, en publia la mésaventure. Deux soldats, Savigny et Corréard l'imitèrent.

La famille, constituée d'à peu près dix membres, avait embarqué à Rochefort pour l'Afrique occidentale dans un convoi de quatre navires, dont l'un, *La Méduse*, transportait quelque cent cinquante soldats, et un autre le gouverneur français et sa famille. Quelque part sous le tropique du Cancer, le capitaine reconnut s'être perdu. Un «imposteur» prit les choses en main, prétendant

---

★ Rien ne m'a permis d'établir un lien entre cette famille et Aurélie Picard.

connaître ces eaux, et fit échouer *La Méduse*. Les soldats à bord, dont Savigny et Corréard, ainsi que la
femme de l'un d'eux, furent déposés sur un radeau
fragile avec pour vivres un sac de biscuits détrempés. Un autre
navire était censé remorquer le radeau. Après avoir longtemps
plaidé leur cause, car le gouvernement répugnait à les aider, les
Picard montèrent à bord du bateau. Ils furent frappés d'horreur
lorsque le navire abandonna le radeau. Que Savigny et Corréard
aient réussi à survivre tint du miracle.

Freetown, vue de loin.
A. de Bor, *Tour du monde* 26, 1873, 356.

Les Picard et leur navire atteignirent la côte, un littoral désertique non loin de Saint-Louis du Sénégal. Vêtus de haillons, ils for-
mèrent une caravane, et se mirent à marcher. Les femmes et les
enfants Picard peinaient, car ils avaient perdu leurs chaussures en
accostant, si bien qu'une partie du groupe suggéra de les laisser derrière ; heureusement, ils étaient sous la protection d'un officier com-
patissant. Finalement, les survivants rencontrèrent des Arabes qui les
escortèrent jusqu'à ce qu'ils soient en sécurité.

Les Picard s'installèrent à Saint-Louis, mais leur chance alla de
mal en pis. En novembre, Mme Picard mourut. M. Picard perdit
son poste d'avocat, et fit une brève et malheureuse tentative com-
merciale. Il essaya ensuite l'agriculture sur l'île insalubre de Safal. De
leur malchance, Mlle Picard écrivit : « Nous étions les créatures les
plus misérables ayant jamais vécu à la surface de la Terre [...], nous
regrettions cent fois de n'avoir pas péri dans le naufrage[35]. »

Les fièvres emportèrent le plus jeune des enfants, puis ce fut
M. Picard qui mourut en août 1819. Le salut provint de M. Dard,

vieil ami de la famille et directeur de l'École française. Il adopta la famille en détresse, épousa Mlle Picard et les ramena en France.

Soixante-quatorze ans plus tard, Mary Kingsley – célibataire dévouée, chercheuse autodidacte, fille de parents récemment décédés et sœur compatissante d'un frère paresseux et ingrat – fit ses bagages et embarqua pour la Sierra Leone. Elle avait passé ses trente premières années à s'occuper de sa mère infirme, sans avoir reçu la moindre éducation. C'est ainsi qu'elle se mit en route vers une des régions les plus dangereuses du globe, soi-disant pour étudier «les poissons et les fétiches[36]». Rejetant hamacs, tentes et porteurs, elle fit deux importantes excursions en deux ans, se servant du commerce pour justifier sa présence. En surface, rien ne pouvait paraître plus invraisemblable.

Mais, en réalité, la jeunesse de Mary l'avait amplement préparée pour de telles entreprises. Son père, George Kingsley, frère des romanciers Charles et Henry, était lui-même un voyageur invétéré ; il avait quitté la maison quelques semaines seulement après avoir épousé sa cuisinière enceinte, quatre jours avant la naissance de Mary. Il était revenu juste assez longtemps pour faire un autre enfant, Charley, et partit à nouveau[37].

Privée d'éducation, Mary se rabattit sur l'énorme bibliothèque paternelle et la dévora tout entière : littérature, philosophie, ethnographie, histoire naturelle et récits de voyages. Sa connaissance et sa curiosité à l'égard de l'Afrique de l'Ouest étaient nées de ses lectures des grands explorateurs Richard Burton, Paul Du Chaillu et Pierre de Brazza[38].

Après la mort de leurs parents, Charley vagabonda, ne rentrant à la maison que par intermittences. Mary, désireuse de veiller sur lui, planifia ses voyages en fonction de ses apparitions. Sa première échappée survint en 1892 lorsqu'elle se rendit aux îles Canaries. Là, elle eut un avant-goût de l'Afrique et décida d'en faire sa prochaine destination. Un an plus tard, elle était à bord du *Lagos*, un vaisseau marchand infesté de punaises, où on lui fit obligeamment le compte de tous ceux qui avaient été emportés par les fièvres. Le bateau fit d'abord escale à Freetown, puis à Accra, à Bonny (dans l'actuel Nigeria), et à São Paulo de Loanda (Luanda), en Angola. De là, Kingsley revint vers le nord en passant par l'État libre du Congo, le Congo français et le Cameroun, jusqu'à Calabar, où elle prit le *Rochelle* jusqu'à Liverpool[39].

De retour au pays natal en janvier 1894, chargée de spécimens de poissons, d'insectes épinglés, d'objets fétiches et de plaques photographiques, Kingsley entreprit de réunir des écrits préparés par son père en vue d'en faire un jour un livre, *Notes sur le sport et le voyage*. Elle fit aussi la connaissance de l'un de ses héros, l'ichtyologiste Albert Charles Günther, et prépara un nouveau voyage en Afrique occidentale[40].

Kingsley partit pour sa deuxième expédition en décembre 1894. Elle avait pour destination le Gabon ; là, elle remonta la rivière Ogooué en canot afin d'étudier les populations fang de la forêt profonde. Déguisée en marchande, chargée de brosses à dents, de mouchoirs et de tabac, elle brava le sens commun, gagna encore en autonomie en apprenant à manœuvrer un canot. Elle fut probablement la première femme blanche à escalader le mont Cameroun, qui avait fait reculer de nombreux autres voyageurs[43].

Rentrant en Angleterre en novembre 1895, Kingsley s'attaqua à ses *Voyages en Afrique de l'Ouest*, publiés en janvier 1897. Ce fut un immense succès, si l'on tient compte du fait qu'il s'agissait d'un traité de 630 pages, auxquelles s'ajoutaient des appendices, remplis de noms de lieux et de coutumes incompréhensibles. Très vivant, il arborait un style plein d'humour et d'autodérision. Pour Kingsley, son ouvrage était un «marécage de mots». L'enthousiasme de certaines critiques était un peu condescendant. Le *Daily Chronicle* écrivit : « Il y a quelque chose de si étrange dans le ton de Miss Kingsley, sa façon de voir les choses est d'un comique si irrésistible, elle s'y révèle d'un bout à l'autre si gentille, douce et féminine, que le gros volume que nous avons devant nous ne pourra pratiquement que plaire à tout le monde. » Toutefois, *Nature* déclara solennellement : «[Le livre] est unique ; une description vivante de la vie en Afrique de l'Ouest par un auteur dont le point de vue est aussi impartial qu'il pourrait jamais l'être[44]. » Un autre ouvrage ambitieux, *West African Studies*, suivit en 1899.

Mary Kingsley.
Photographie par A. G. Dew-Smith, in *Memories* d'Edward Clodd, Londres, Chapman & Hall 1916, frontispice.

⤳ Le climat est insalubre, de sorte que l'Anglais moyen n'aime pas emmener son épouse sur la côte avec lui.
– Mary Kingsley[41].

ALEXANDRE OLBAR

La rivière Ogooué,
au Gabon.
A. de Bar, *Tour du monde* 31, 1876, 273.

Les contradictions de Mary Kingsley pourraient remplir un livre. En Angleterre, sa santé était mauvaise – elle souffrait notamment de rhumatismes et de migraines –, mais une fois en Afrique, où fleurissaient les maladies tropicales, elle était paradoxalement en pleine forme. Elle collecta des éléments ethnographiques et zoologiques de grande valeur – plusieurs espèces de poissons prirent son nom –, mais elle prétendait que son travail était entaché d'erreurs et ne pouvait pas faire autorité. Elle portait des corsets victoriens et de longues jupes épaisses sous un climat chaud et humide, tout en traversant des rivières, renversant des canots et tombant dans des pièges de trappeurs. Issue d'une époque conservatrice, elle était néanmoins favorable à la vente d'alcool aux Africains, soutenait la polygamie et condamnait les activités des missionnaires. Elle était plus indépendante que la plupart des Occidentales de nos jours, mais décriait le féminisme, s'opposant ouvertement à l'égalité des sexes. Pourtant coquette, elle s'identifiait souvent à un homme. Elle écrivait, par exemple, dans *Études ouest-africaines* : «Je ne suis pas un homme de lettres, seulement un étudiant de l'Afrique de l'Ouest», et poursuivait : «Je ne suis pas par nature un homme d'affaires[45]».

≫ L'Afrique est un endroit où la crainte de se promener la nuit est commune au sorcier qui croit aux mauvais esprits de la forêt locale et à la dame qui croit aux mauvaises intentions des gens du lieu.
– Mary Kingsley[42].

Kingsley était également timide et gauche ; elle captivait pourtant des foules de près de deux mille personnes venues écouter le récit de ses expériences terriblement excitantes, racontées de cette voix spirituelle et mordante qui oubliait d'aspirer les *h*. Elle donna une conférence à la Royal Scottish Geographical Society, fut remplacée par un homme qui lut devant elle son propre discours à Liverpool et fut ignorée par la Royal Geographical Society de Londres, car les femmes étaient alors exclues de cette société savante[46].

Kingsley n'eut pas la possibilité de revenir en Afrique de l'Ouest comme elle le souhaitait. Au lieu de cela, le 10 mars 1900, elle embarqua sur le *Moor* pour Cape Town, afin de soigner les soldats blessés dans la guerre des Boers. Mais c'était là une tâche trop épuisante, même pour Mary Kingsley. Elle mourut d'une crise cardiaque le 3 juin 1900, des suites d'une fièvre typhoïde, et son corps fut immergé au large.

﹏ L'Afrique de l'Ouest ne sera probablement jamais un lieu de plaisance où passer les mois d'hiver, un terrain de loisir où nos poètes et nos peintres viendront régénérer leurs énergies fatiguées comme dans les Alpes ou en Italie.
– Mary Kingsley[47].

De l'Arabie à la Perse
L'attrait du danger

LES DEUX CAVALIERS MIRENT PIED À TERRE, avant de contempler l'étendue désertique. Ils venaient de s'asseoir pour prendre un peu de repos quand un bruit sourd rompit le silence. Soudain, l'un des deux cavaliers hurla : « En selle. C'est un *ghazú*! » En l'espace d'un instant, Anne et Wilfrid Blunt se retrouvèrent au beau milieu d'une razzia de Bédouins apparemment surgis de nulle part. Mais Anne ne fut pas assez rapide car elle s'était fait une entorse au genou quelques jours plus tôt, et le choc d'une lance suffit à la culbuter à terre. L'un des pillards s'empara du fusil de Wilfrid et lui en assena un coup sur la tête. Anne cria en arabe : « Je me place sous votre protection. » C'est alors seulement que les bandits, membres de la tribu Roala, s'aperçurent qu'ils venaient de s'attaquer à une femme. Ils s'immobilisèrent, abasourdis. Peu après, ils étaient tous assis en cercle et se partageaient des dattes : les Roala étaient devenus les hôtes de leurs victimes[1].

On était en janvier 1879, et les Blunt étaient partis en expédition dans le désert d'Arabie, le Nejd. Un an plus tôt, ils s'étaient rendus en Syrie et, après un bref retour en Angleterre, ils étaient retournés à Damas afin d'y préparer leur départ pour le Sud, vers l'Arabie. Accompagnés par Mohammed et Hanna, ils étaient partis le 13 décembre, une semaine seulement après leur arrivée sur place. L'itinéraire qu'ils empruntèrent traversait tour à tour des plaines herbeuses et un désert rocailleux et inhospitalier. De violentes tempêtes de sable ralentirent leur progression. C'est ensuite, non loin de Kaf, juste à l'intérieur des frontières de l'actuelle Arabie saoudite, qu'Anne était tombée de cheval et s'était fait une entorse. Après leur rencontre tumultueuse avec les Roala, ils firent route vers Al Jawf, puis vers Hail, où ils purent apprécier l'hospitalité de l'émir Mohammed ibn Rashid. Après une semaine passée chez lui, ils se joignirent à une caravane de pèlerins persans qui effectuait la traversée en direction du nord, vers Meshhed Ali (An Najaf), au sud de Bagdad. Leur progression était lente et monotone – ils étaient à court de vivres et supportaient mal le chef de la caravane et ses tentatives

Anne et Wilfrid Blunt. Quand on lui demanda si elle avait peur de se faire attaquer, Anne Blunt répondit : « Ce que je ressens est une chose, mais je n'aurai certainement pas la sottise de montrer ou d'avouer ma peur[2]. »

G. Vuillier, *Tour du monde* 43, 1882, 1.

réitérées pour leur extorquer davantage d'argent –, mais ils parvinrent finalement à destination. Ils traversèrent alors la Perse et prirent la direction de l'Inde. À partir de ces aventures, Anne écrivit *Pèlerinage au Nejd* qui, comme son précédent ouvrage, fut édité par son mari.

L'Arabie, la Perse et la Mésopotamie, plus durablement isolées de l'influence européenne que le Levant, maintenaient un contrôle rigoureux sur la liberté de voyager des femmes. Pour la plupart, elles évitaient de circuler dans cette région : cette terre rude et peu habitée, et les chaleurs accablantes qui alternaient avec un froid glacial, suffisaient à les décourager. Il n'en reste pas moins qu'à différentes périodes, ces contrées furent fortement convoitées par les gouvernements britannique, français, russe et turc, et tant d'attention amena inévitablement des voyageurs.

On ralliait la Mésopotamie, l'actuel Irak, à partir de la Syrie ou du golfe Persique. Quand les Blunt atteignirent Bagdad, en 1878, ils découvrirent une ville horrible, réduite à l'état « d'une noix flétrie à l'intérieur de sa coquille », sans guère de traces du temps de sa splendeur[3]. Ida Pfeiffer, l'une des premières femmes voya-

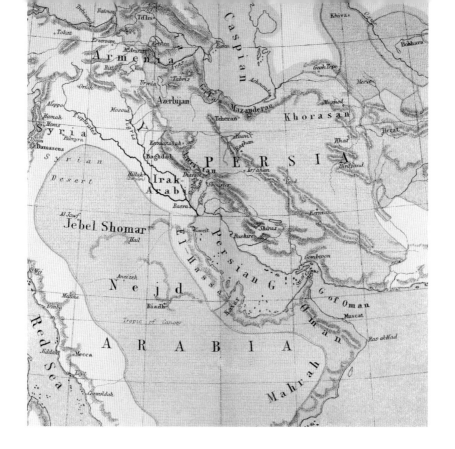

Asie occidentale.

Atlas pratique Philip's, vers 1897.

geuses ayant écrit sur Bagdad, confirme à peu près cette impression.

Elle arriva en 1848, dans le cadre de son premier prodigieux périple autour du monde. Elle avait navigué à bord d'un voilier de Bombay à Basra, *via* Muscat, en passant dix-huit jours sur le pont à souffrir d'une crise hépatique, pendant que, dans l'entrepont, une épidémie de variole galopante emportait trois passagers. Depuis Basra, elle fit voile vers Tigris. Alors qu'on l'avait bien avertie d'éviter de se montrer sans voile, elle ne put supporter la gêne de ce vêtement suffocant lui masquant le visage et choisit à la place de porter un *isar*, un volumineux drapé de lin, et de se coiffer d'un fez enveloppé dans un linge[4].

L'indécence des conversations et des comportements aux harems et aux bains de Bagdad choqua Ida Pfeiffer. Mais elle fut comblée par l'hospitalité dont on fit preuve à son égard : les autorisations de voyager lui furent délivrées sans hésitation, le gîte et le couvert lui furent offerts bien volontiers. Elle se joignit à une caravane et mit quatorze jours à atteindre Mossoul, en voyageant «comme la plus pauvre des Arabes». Là-bas, elle effectua un détour jusque sur le site des fouilles de l'archéologue Layard, à Nemrod,

« *Une horde de Tartares en migration.* » *Une scène vue par l'artiste Ida Pfeiffer dans la campagne mésopotamienne.*
Pfeiffer, vers 1851, en regard de la p. 208.

puis s'organisa pour se rendre à Tabriz. Au sujet de ce périple, elle écrit : «J'ai entamé ce voyage non sans anxiété, et j'osais à peine envisager qu'il eût une issue heureuse. C'est pourquoi j'ai expédié mes articles et manuscrits en Europe afin que, dans l'hypothèse où je sois dévalisée ou assassinée, mon journal arrive au moins entre les mains de mes fils.» Ce colis mit plus d'un an et demi à rallier l'Autriche[5].

Elle fut retardée quelque temps à Ruwandiz, où le principal marchand local refusa de l'aider à continuer, prétextant qu'aucune caravane n'était sur le départ et lui soutenant que si elle voyageait seule, elle s'exposerait forcément à se faire «tirer dessus ou décapiter». Sans se laisser impressionner, elle parvint à dénicher un guide et un cheval et gagna saine et sauve la petite ville d'Oromia (Urmia), où elle séjourna chez des missionnaires jusqu'à ce qu'elle puisse organiser l'étape suivante. À son arrivée à Tabriz, un Européen lui demanda, interloqué :

«Comment êtes-vous venue jusqu'ici, seule ? Vous a-t-on dévalisée ? Vous êtes-vous séparée du reste de votre équipage ou avez-vous quitté vos compagnons en ville?» [...] Pour lui, qu'une femme ait réussi, sans en connaître la langue, à pénétrer dans de telles contrées, parmi de tels peuples, cela relevait du mystère ou de la fable. Je n'aurais pu assez témoigner ma gratitude à la Providence pour l'évidente protection qu'elle me dispensa. Je me sentais aussi heureuse et pleine d'entrain que si la vie m'avait accordé un second souffle[6].

La progression d'Ida Pfeiffer en Russie d'Asie fut gâtée par quelques Russes peu commodes, et par un malentendu qui lui valut de se faire enlever par deux gardes soupçonneux et zélés. Libérée après un séjour inconfortable d'une nuit au relais de poste, elle continua vers l'ouest, en direction de la Crimée. Ses voyages ultérieurs furent abrégés par la nouvelle qu'une révolution avait éclaté en Autriche. En octobre 1848, finalement, Pfeiffer rentra chez elle.

Plutôt que de traverser la Perse emprisonnée sous un tchador étouffant, Jane Dieulafoy choisit d'aller à cheval, vêtue en cavalier. Avec son mari, l'ingénieur Dieulafoy, ils se lancèrent dans deux expéditions en Perse, la première en 1881-1882, une mission de reconnaissance archéologique depuis la mer Noire jusqu'au golfe Persique, et la seconde, en 1884-1886, dans le cadre d'une campagne de fouilles à Suse. Jane relata ces deux expéditions dans *Tour du monde* (en 1883 et en 1887). Il s'agissait de reportages succincts, nourris d'observations des peines et des plaisirs quotidiens d'un voyage en Perse.

Jane avait déjà pu mesurer toute sa faculté d'endurance quand elle avait accompagné son époux, alors officier, sur le front de la guerre opposant la France à la Prusse. Tous deux avaient également visité l'Espagne, le Maroc, l'Algérie et la Haute-Égypte[7].

Leur premier voyage en Perse les conduisit à Tabriz, Ispahan et Chiraz, puis de la Mésopotamie à Bagdad. Couchant dans des chambres humides et froides, et sans fenêtres, ou dans de modestes caravansérails, et voyageant avec un minimum d'équipement, ils prenaient des notes, des photos, relevaient des sites éventuels où lancer des fouilles. Leur étude topographique comprenait la ville de Suse où déjà, en 1851, William Loftus avait conduit une campagne de

Jane Dieulafoy. Dronsart, 54.

fouilles partielles. Plusieurs éminences de terrain, offrant des sites archéologiques très tentants, restaient en attente d'être explorées.

À Kashan, Jane entra dans le bazar armée de son appareil photo, mais les gens s'opposèrent à ce qu'elle prenne des clichés d'eux, et elle se retrouva au centre d'une altercation. Marcel jugea préférable d'aller se plaindre immédiatement auprès du gouverneur d'avoir subi des mauvais traitements. Les conséquences de cette démarche furent inattendues. Apprenant que le photographe mis en cause était une femme, l'épouse du gouverneur se faufila, le visage masqué par un voile de servante, à seule fin de se faire photographier.

Les Dieulafoy quittèrent la Perse en 1882, malades, épuisés. Mais, au bout de six mois d'inertie, tous deux se sentaient prêts à repar-

tir, impatients de savoir ce que pouvaient receler ces éminences de terrain aperçues à Suse. Ils se remirent en route, à la fin de l'année 1884. Ils naviguèrent de Marseille à Suez et Aden. De là, ils remontèrent le golfe Persique jusqu'à l'embouchure de la rivière Karun. Ils arrivèrent à Suse soixante et onze jours après avoir quitté la France.

Il ne leur fallut que cinq jours pour réunir une équipe d'ouvriers, et ils ne tardèrent pas à faire leur première grande trouvaille : une mosaïque représentant un lion. Le printemps suivant, lors d'un bref retour en France, ils s'aperçurent que la Perse avait fait part au

Jane Dieulafoy, confrontée à des bandits alors qu'elle protège les provisions et l'équipement de l'expédition.
La légende originale indiquait : « J'ai quatorze balles à votre disposition : allez chercher six de vos amis[8] ! »
Tofani, d'après un dessin de Marcel Dieulafoy, *Tour du monde* 55, 1887, 35.

gouvernement français de son opposition à leur entreprise, mais, une fois encore, ils obtinrent les autorisations qui leur permirent de continuer. De retour en Perse, ils partagèrent leur temps entre les fouilles et l'exploration du pays. Les terrassiers exhumèrent un mur spectaculaire en carreaux de faïence, la Frise des archers, une pièce importante de l'art achéménide.

Après un nouveau retour en France en 1886, Jane continua d'écrire : ses articles sur l'Espagne furent publiés dans *Tour du monde* de 1900 à 1907.

Le compte rendu que livra Isabella Bird du voyage d'une année qu'elle effectua, en 1890, en Perse et dans la région mal définie du Kurdistan (qui comprend des parties de la Turquie, de la Syrie, de l'Iran et de l'Irak), fut publié sous le titre de *Voyages en Perse et au Kurdistan* (1891). Elle voyagea parfois seule, mais quelquefois aussi en compagnie du major Herbert Sawyer (évoqué, de façon fort diplomatique, sous l'initiale de M…), qui effectuait une étude de la région à des fins politiques. Farouchement indépendante, Isabella Bird avait du mal à accepter les entraves à sa liberté, mais elle eut vent de certains dangers la contraignant soit d'accepter de circuler avec une escorte, soit de rester immobilisée. Elle visita des villes comme Téhéran ou Qom, et passa trois mois et demi en pays bakhtiari, dans le centre de la Perse.

S'étant tout d'abord donné Téhéran pour but de voyage, Sawyer, Hadji Hussein (son serviteur toxicomane originaire du Golfe arabique) et elle quittèrent Bagdad en janvier avec une caravane. Elle s'était munie de deux fontes, l'une qui abritait un revolver et un nécessaire à thé, et l'autre du lait et des dattes. Elle arborait aussi un casque de liège, un masque et une «tenue de montagne américaine», avec un pardessus, et des bottes fauves. Isabella Bird et ses compagnons séjournèrent dans des caravansérails glaciaux, humides et crasseux, et réussirent tant bien que mal à traverser des terres désertes et battues par les vents en pataugeant dans la neige. Ils survécurent à un accident qui faillit être désastreux et les emporter tous, avec mules et bagages[10].

➤ J'entrevois d'infinies difficultés, et la perspective d'illustrer à travers ma propre expérience le dicton souvent ressassé à mes oreilles : «Une femme ne devrait jamais voyager seule en Perse» — Isabella Bird[11]

Âgée de cinquante-neuf ans, Isabella Bird était affligée de maux vertébraux atroces. Au départ, elle montait à dos de mulet, jusqu'à ce que la douleur la contraigne à essayer le cheval. Ce voyage était plus pénible que tout ce qu'elle avait jamais entrepris auparavant, mais elle fit preuve d'une ténacité et d'une détermination sans égales.

Elle avait beau se voiler en public, elle fut néanmoins la cible d'insultes et de railleries, même dans de grandes villes comme Kermanshah et Ispahan. L'agitation qu'elle provoquait en toutes circonstances ne fit que s'aggraver plus ses haltes se prolongeaient, car des cohortes de personnes malades venaient profiter de sa trousse de médicaments. On recherchait sa compétence en matière d'affections oculaires, de rhumatismes, de surdité, voire pour redonner vigueur à des vies amoureuses défaillantes. En dépit des dons généreux qu'elle faisait de son temps et de ses médicaments, elle fut plusieurs fois dépouillée de son argent, de ses bêtes et de son matériel le plus indispensable. Les habitants d'un village furent instamment priés par leur chef de rembourser l'argent volé.

Les épreuves ne manquaient pas, mais les plaisirs non plus. Son interprète persan, Mirza Ioussouf, devint un compagnon précieux. Elle se réjouissait de cette sensation de liberté, et s'attacha tellement à son cheval persan, Boy, qu'elle préféra ne pas se séparer de lui au terme de leur voyage, dans la ville turque de Trébizonde. Lorsqu'elle eut atteint cette cité, en décembre 1890, elle contempla la mer Noire et nota : «Le charme de l'Asie est si magique qu'en cet instant, je serais volontiers retournée sur les hauts plateaux neigeux d'Arménie et dans les montagnes sauvages du Kurdistan[10].»

Madame Dieulafoy. — Dessin de É. Bayard, d'après une photographie.

Des agneaux aux allures de loups

BEAUCOUP DE VOYAGEUSES JUGÈRENT COMMODE de se déguiser en hommes, surtout dans des pays où le voyage était interdit aux femmes. Les vêtements d'hommes étaient aussi utiles pour escalader les montagnes, monter à cheval et pour d'autres passe-temps très physiques. Mais que pareilles tenues soient adaptées ou non, il était considéré comme déplacé de s'afficher dans un tel accoutrement qui suscitait la désapprobation, au moins de certaines femmes. En matière de travestissement, les Françaises étaient beaucoup plus décontractées que leurs homologues britanniques – ce qui n'était guère surprenant, eu égard à leur modèle, George Sand (une voyageuse elle aussi), qui fut une pionnière en matière de tenues masculines. Depuis son poste d'observation privilégié dans l'isthme de Panamá, Mary Seacole songeait probablement à George Sand lorsqu'elle écrivit : « Ces femmes écrivains françaises qui désirent jouir des privilèges des hommes mais aussi de l'irresponsabilité propre à l'autre sexe, auraient été enchantées de voir ces disciples qui mettaient leurs principes en pratique dans les rues de Cruces[1]. »

Des femmes comme Catalina de Erauso, Jeanne Baret et Rose de Freycinet portèrent des vêtements d'homme bien avant que Sand n'ait enfilé ses premiers pantalons. Catalina de Erauso, Espagnole de naissance, également connue sous le nom de « la Monja Alferez » (« la Nonne lieutenant »), vécut au XVIIᵉ siècle et adopta un personnage complètement masculin, se choisit pour prénom Antonio, prit des maîtresses et voyagea en qualité d'officier au Pérou, au Chili et en Argentine. Par la suite, son sexe fut découvert et, si elle avait été respectée sous son apparence d'homme, sa nouvelle identité ambiguë fit d'elle une paria[2].

Jeanne Baret travailla comme domestique « masculin » pour le naturaliste Philibert Commerson et, en 1766, l'accompagna en qualité de valet dans l'expédition de Bougainville autour du monde. Si Commerson était informé que ce garçon de vingt-six ans était une fille, il n'en laissa rien paraître. Et si la rumeur circulait parmi les marins – après tout, elle ne portait pas de

CI-DESSUS, EN FOND :
Catalina de Erauso.
Cortambert, 15.

PAGE CI-CONTRE :
Jane Dieulafoy,
habillée en cavalier.
Émile Bayard, Tour du monde 4, 1883, 137.

barbe et elle avait la silhouette élancée –, ce sont finalement les Tahitiens qui révélèrent le subterfuge, car, dès l'instant où elle débarqua, ils reconnurent en elle une femme. Dès lors, les marins ne la traitèrent plus en garçon et comme membre de l'équipage, mais elle continua malgré tout à seconder Commerson et devint une botaniste de talent[3].

Rose de Freycinet, épouse de Louis Claude Desaules de Freycinet, porta des vêtements masculins le temps de se glisser à bord de la frégate de son époux, *L'Uranie*. C'était en 1817, et elle défiait ainsi les règlements interdisant aux femmes l'accès aux vaisseaux de la marine royale[4].

Il y eut bien d'autres exemples de ces femmes «au masculin»: Olympe d'Audouard, Adèle Hommaire de Hell et Maria de Ujfalvy-Bourbon étaient toutes fières de leurs pantalons. Toutefois, au XIXe siècle, la loi française frappait d'illégalité le port de vêtements masculins en public pour les femmes, à moins qu'elles n'y soient obligées pour des raisons de santé – une condition dont l'application supportait apparemment quelques souplesses. Ainsi, Jane Dieulafoy, parmi d'autres, demanda et obtint une *permission de travestissement*[5].

Isabel Burton apprécia la liberté que lui apportèrent les vêtements d'homme durant son séjour en Syrie: «Ainsi vêtue, je pouvais […] pénétrer dans tous les lieux que les femmes ne sont pas jugées dignes de voir. La difficulté majeure tenait à ma toilette, que j'étais toujours contrainte de faire au milieu de la nuit.» Toutefois, en une occasion, elle provoqua la panique chez les femmes du harem quand elle y fit irruption par inadvertance, déguisée en homme[6].

Pour Laurence Hope, s'habiller en garçon pachtoune fut un moyen de rester aux côtés de son mari. Pour Isabel Gunn, le travestissement lui permit de se rendre au Canada et de travailler dans un fort appartenant à la Compagnie de la baie d'Hudson. Le docteur James Miranda Stuart Barry, un médecin d'Édimbourg, adopta un personnage masculin, servit durant la guerre de Crimée et devint plus tard inspecteur général des hôpitaux dans le nord du Canada. Isabelle Eberhardt arborait déjà petite fille des vêtements masculins, et ne se résolut jamais tout à fait à s'habiller en femme. Elle franchit un pas supplémentaire quand elle se transforma en Algérien, adoptant un nom et un costume masculins, et participant à des rituels religieux uniquement réservés aux hommes musulmans.

Ida Pfeiffer reçut le conseil de se vêtir en homme pour son voyage en Terre sainte, mais il lui suffit de jeter un coup d'œil à l'allure que cela lui donnait pour comprendre combien le résultat était ridicule.

Elle écrit : « Ma silhouette menue et élancée avait l'air d'appartenir à un jeune homme, tandis que mon visage était celui d'un vieux. » Elle se revêtit donc d'une tunique et d'un pantalon turcs, et fut traitée avec respect tout au long de son périple, même si les femmes trouvaient bizarres ses cheveux qu'elle coupait court en prétextant un souci de commodité[7].

Les femmes qui portaient des vêtements d'homme étaient un objet de mépris pour celles qui jugeaient de tels actes indignes d'elles. Emily Beaufort se montra très critique envers une Américaine qui avait abusé les moines de Mar Saba, un monastère de Palestine uniquement ouvert aux hommes. « [Elle] pénétra dans le monastère habillée en homme, en dissimulant ses mains dans ses poches quand elle fit le tour du bâtiment, mais au moment de prendre le café, elle fut démasquée, on découvrit son sexe, et elle fut immédiatement expulsée par les moines offusqués – et à juste titre. Sans parler du manquement à la bonne foi propre à un tel acte, on se consolera en songeant que, si on la prit pour un homme, on n'aurait guère pu la prendre pour un gentleman[8]. »

Quantité de femmes devinrent des « autochtones », surtout au Moyen-Orient, mais rares étaient celles qui croyaient pouvoir abuser quiconque. Hester Stanhope, vêtue en homme arabe, s'était introduite dans Mar Antonius, un monastère interdit aux femmes, tout comme Mar Saba. Elle promena son postérieur féminin dans le vestibule et visita les lieux. Les moines étaient dans tous leurs états – ils invoquèrent la légende selon laquelle toute femme qui franchirait leur seuil serait victime d'un « horrible accident », mais rien ne lui arriva. Il ne fut probablement pas indifférent que les membres masculins de son groupe l'aient suivie pour s'assurer que les moines ne l'assailleraient pas. Anne Blunt choisit de porter des vêtements bédouins, tout comme Jane Digby el-Mezrab, même si cette dernière, du fait de son immersion dans la vie syrienne, avait tout à fait mérité le droit d'agir de la sorte.

Selon Harriet Martineau, se vêtir en Orientale n'apporterait rien d'autre que la honte du ridicule. « Une femme anglaise, soutenait-elle, ne peut en aucun cas, si elle est simplement de passage dans un pays d'Orient, se donner l'allure d'une Orientale. Et le fait d'endosser sans rime ni raison une coutume locale ne lui vaudra guère le respect, mais donnera simplement l'impression qu'elle a honte de ses origines et de ses usages propres[9]. »

Inde
Ou comment oublier d'être choquée

QUAND NOUS AVONS QUITTÉ ELIZA FAY, à son départ pour Suez où son mari Anthony et elle devaient embarquer à bord d'un bateau en partance pour l'Inde, elle était terrorisée à l'idée de ce que le destin pouvait lui réserver. Il était déjà arrivé que des bandits en maraude aient dépouillé des voyageurs européens, en les laissant nus comme des vers. Heureusement, le couple atteignit Suez sans encombre, mais elle déclara tout de même qu'on leur avait tout dérobé. À leur arrivée à Calicut, en novembre 1779, leur vaisseau fut immédiatement encerclé par des bateaux hostiles appartenant au chef Hyder Ali, alors en conflit avec les Britanniques. L'une des dames du bord, une certaine Mme Tulloh, qui avait fréquemment «exprimé son désir ardent de vivre certaines aventures», fit monter son fauteuil sur le pont pour observer la scène, déclarant «que mis à part réchapper d'un naufrage, il n'y avait pas mieux[1]».

Un malentendu avait contraint le consul de Grande-Bretagne à un départ précipité, laissant les Danois seuls représentants européens sur ce territoire. Privés de la protection de leur pays, les Fay décidèrent de rester à bord. La plupart des autres passagers débarquèrent. Le navire fut abordé par des Cipayes, conduits par le capitaine Ayres, ancien bandit de grand chemin devenu mercenaire à la solde d'Hyder Ali. Prétextant vouloir monter à bord pour protéger les passagers, les soldats les dévalisèrent. Les Fay protestèrent de leur pauvreté, dissimulant trois précieuses montres en or dans la coiffure d'Eliza, non sans avoir au préalable bloqué les mouvements d'horlogerie au moyen d'épingles, afin que le tic-tac ne les trahisse pas.

Ils furent emmenés à terre et emprisonnés dans la fabrique anglaise, qui avait été mise à sac. Les autres passagers, qui avaient déjà quitté le navire, furent jetés dans la même geôle. Tous furent détenus contre rançon. Les Fay parvinrent à réunir une somme suffisante pour acheter leur liberté et deux passeports, sous une identité française. Eliza s'habilla d'une veste de nankin, d'un pantalon à rayures, d'un bonnet de nuit, «assez élégant couvre-chef», et d'une paire de chaussures appartenant

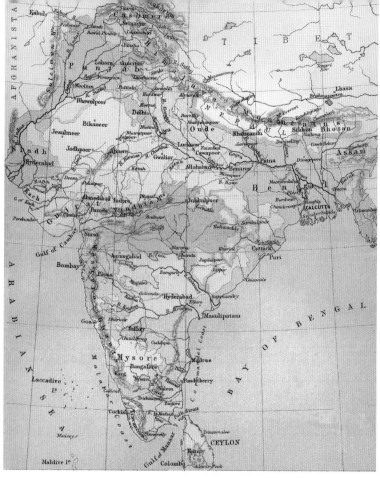

Inde. Atlas pratique Philip's, vers 1897.

à Anthony. Son mari lui dit qu'elle ressemblait à son père[2]. Malgré cet habile déguisement, leur tentative d'évasion échoua, et ils durent verser davantage d'argent. Le 21 janvier 1780, ils se mettaient enfin en route pour Calcutta.

Anthony Fay a démontré amplement sa sottise, faisant preuve d'un assez grand talent pour gâcher son voyage et celui de son épouse. Eliza le supporta encore dix ans, puis le quitta. Elle écrivit ses *Lettres originales de l'Inde : contenant un récit de voyage en Égypte, et l'emprisonnement de l'auteur à Calicut, par Hyder Ali* (1817), perdit de l'argent dans diverses entreprises et voyagea entre l'Angleterre et l'Inde à deux autres reprises, ainsi qu'à New York. Elle mourut à Calcutta en 1816, à l'âge de soixante ans.

L'Inde était un partenaire commercial de l'Europe depuis des siècles, *via* le Levant. Dès l'ouverture de la route maritime contournant le cap de Bonne-Espérance par Vasco de Gama, en 1498, des échanges commerciaux directs s'instaurèrent, même si le Portugal parvint à conserver un monopole jusqu'en 1600, date à laquelle ce monopole fut battu en brèche par les Hollandais. Les Britanniques, les Français et les Danois convoitaient également une part de ce gâteau commercial, et fondèrent tous leur propre compagnie de négoce : les Britanniques créèrent l'East India Company et les Français la Compagnie des Indes orientales. La convergence des rivalités commerciales conduisit à une lutte ouverte, tant sur terre que sur mer. Il fallut aussi négocier avec plusieurs souverains indiens, car l'Inde n'avait pas de gouvernement unique. Ces transactions délicates conduisirent à des affrontements violents entre Indiens et Européens.

Vers 1680, les Britanniques s'étaient établis à Bombay (Mumbai), Madras et Calcutta, et les Français à Chandernagor et Pondichéry. Mais, dès 1765, la Grande-Bretagne était devenue la puissance dominante, inondant le pays de ses soldats et de ses administrateurs. Les femmes britanniques commencèrent d'être très recherchées, surtout à Calcutta, où le marché du mariage était solidement établi et «régulièrement approvisionné en femmes célibataires fort prometteuses[3]». Des salaires élevés et un faible coût de la vie permettaient de mener un train impossible à tenir en Grande-Bretagne.

Maria Graham, qui par la suite continuera d'écrire sur l'Amérique du Sud, décrivit son séjour en Inde de 1809 à 1811 dans *Journal of a Residence in India* (1812). Sa désapprobation à l'égard des Anglaises résidant là-bas est manifeste : elles étaient «trop peu éduquées et trop habillées et, à l'exception d'une ou deux d'entre elles, très ignorantes et très grossières[4]». Ce verdict n'était peut-être pas tout à fait équitable, mais, en Inde, la plupart des Anglaises ne faisaient aucun effort pour se familiariser avec leur nouveau pays. Les communautés auxquelles elles appartenaient les protégeaient de presque tous les aspects de la vie indienne, excepté de la chaleur, de la maladie et des insectes. Peu d'Anglaises toléraient d'avoir des contacts étroits avec les Indiens, une répugnance qui était réciproque, surtout chez les hindous très conscients de leur caste.

Fanny Parks fit exception, tant par son aptitude que par son envie d'évoluer d'une culture à l'autre. En 1822, avec son mari, Charles Parks, rédacteur, ou employé, de l'East India Company, elle se rendit à Calcutta. Quatre ans plus tard, il fut nommé à Allahabad et, mis à part un bref transfert à Cawnpore (Kanpur) et un congé au Cap, il y demeura jusqu'à sa retraite, en 1846. En principe, Fanny se joignait à lui, mais il lui arrivait surtout de voyager, parfois seule. Elle accoucha de deux volumes de comptes rendus, *Vagabondages d'un pèlerin en quête de pittoresque* (1850), avec des mots en hindoustani, langue qu'elle finit par posséder suffisamment bien pour exercer la profes-

CURRY & RICE

(ON FORTY PLATES)

OR

THE INGREDIENTS OF SOCIAL LIFE

AT

"OUR STATION" IN INDIA

BY CAPT.N GEO. F. ATKINSON.

LONDON,

JOHN B. DAY, LITHOGRAPHER, PRINTER & PUBLISHER,

3, SAVOY STREET, STRAND.

sion d'interprète. Sur la page de titre, son nom n'est mentionné qu'en persan, ce qui en fit, aux yeux de certains, un ouvrage anonyme.

Isabella Fane et Emily Eden étaient en Inde à la même période que Fanny Parks. Alors que cette dernière était davantage intéressée par ce qui se passait dans le harem que dans les familles de Britanniques, Mmes Fane et Eden s'attachèrent à révéler comment vivaient ces femmes anglaises. À la saison fraîche, elles se rendaient visite, organisaient des dîners aux tablées pléthoriques et n'étaient pas loin de rendre l'âme sous l'effet de la chaleur, des moustiques ou de la dysenterie. Les maisonnées atteignaient des propor- فاني پارکس tions gigantesques du fait de la présence des domes- tiques : celle des Fane en comptait soixante-sept. Chaque dame avait une femme de chambre disposant elle-même de sa femme de chambre. Dès l'apparition des hautes températures d'octobre, toute la maisonnée pliait bagage et prenait le chemin de la station d'altitude de Kimla, au Cachemire, où l'air frais de la montagne rendait la vie supportable.

Isabella Fane, fille illégitime de Henry Fane★, commandant en chef pour l'Inde, répandit toutes sortes de ragots sur la société britannique de Calcutta. Ses lettres débordaient d'observations caustiques. Elle aurait probablement été enchantée de savoir que nous avions appris, en la lisant, qu'Emily Eden et sa sœur Fanny étaient «toutes deux de grandes bavardes, toutes les deux vieilles, toutes les deux monstrueuses et [sentaient] toutes les deux aussi mauvais que des putois». Ou que la poitrine dénudée du rajah de Bharatpur était un objet inoubliable : «Les appendices qu'il avait là pendouillaient davantage que celui de la dame la plus obèse. J'aurais été fière d'en avoir moitié moins, mais extrêmement navrée d'en posséder le tout!» Fane aurait pu devenir une nouvelle Lady Montagu, car elle était apparemment incapable de se retenir de commenter les événements les plus personnels et les plus épouvantables. À propos d'un voyage sur une rivière en février 1836, elle écrivait avec amusement au spectacle des morts flottant sur le Gange : «Ma curiosité (louable !!) fut satisfaite, car je vis de nombreux spécimens fort jolis – en particulier sur le trajet du retour, car un beau bonhomme entier passa en flottant devant le hublot de notre cabine, devant lequel je me tenais[6]. »

Curry & Rice, non daté, par le capitaine George F. Atkinson, offre une vision pleine de légèreté de la vie des Britanniques en Inde. Cette page de titre montre une jeune femme perchée en amazone, avec ses domestiques et un officier pour compagnon.

★ Les parents d'Isabella Fane ne s'étaient jamais mariés, du fait du premier mariage de son père (sa mère était rentrée en Angleterre), mais cela ne sembla pas affecter sa position dans la société locale.

Isabella Fane eut le cœur brisé quand l'un de ses sympathiques compagnons, M. Beresford, un veuf, épousa sa cousine. À trente-quatre ans, avec un père désormais à la retraite et très éloignée de sa mère, elle fut reléguée à la périphérie de la société qu'elle avait tournée en ridicule. Déracinée, elle rentra en Europe et vécut surtout en France, où elle mourut en 1886[7].

Bien qu'elle eût ridiculisé les Eden, elle les aimait beaucoup. Ces dernières laissèrent toutes deux des témoignages, mais Emily fut la seule à être publiée de son vivant. L'ouvrage s'intitulait *Par monts et par vaux* (1866), souvenir de ses voyages avec Fanny et son frère, le gouverneur général Lord Auckland, de Calcutta jusqu'au Cachemire, entre 1837 et 1840. Leur détachement quitta Calcutta à bord d'un vapeur en octobre 1837 et remonta le Gange jusqu'à Bénarès, puis effectua le reste du trajet à dos de cheval, d'éléphant et de mulet, à pied ou monté sur toutes sortes d'engins. Pour l'essentiel, ils campaient, mais il leur arrivait de séjourner dans des demeures officielles. Leur route les conduisit à Patna, à Dinapore, à Bénarès (Varanasi), Allahabad, Fatehpur et Cawnpore, aux abords de laquelle ils furent confrontés à la famine dans toute sa misérable évidence, à Lucknow, Delhi et Simla. L'orthographe d'Eden est parfois singulière, surtout en ce qui concerne les noms de lieux. Tout comme celle de Fane, son écriture n'était pas dénuée d'excès, ce qui amena une lectrice, Lucie Duff Gordon, à la discréditer en ces termes : « une vision théâtrale et burlesque des coutumes d'un pays étrange[8] ».

Peu importait sa conception superficielle de l'Inde, car le souci de réalisme d'Eden lui permit de saisir à quel point les habitants de ce pays avaient pu être exaspérés par les excès et la frivolité des Européens de Simla. « Parfois je m'étonne, écrit-elle, qu'ils ne nous tranchent pas tous la tête, et qu'ils n'en parlent pas davantage. » Pourtant, elle fut vexée d'avoir été humiliée par des hommes sikhs : « Ces pauvres créatures ignorantes ne comprennent absolument pas à quel point la femme anglaise est un article de qualité supérieure. Ils nous croient méprisables, ce qui constitue à tout le moins une erreur[9]. »

Fane et Eden furent toutes deux les invitées bien ingrates du maharadjah Ranjit Singh, souverain d'Amritsar, au Cachemire. Fane écrivit à propos d'un dîner en 1837 : « Comme j'étais la fille du grand homme, [Ranjit] me nourrit avec ses doigts (par l'intermédiaire des mains de quelqu'un d'autre) d'une caille au curry qu'après avoir fait mine de goûter je déposai dans le gant du capitaine Hay, préparé à cet effet. » Eden fit un récit similaire. Elle parvint à se débarrasser de « deux cailles grillées, d'une pomme, d'une poire, d'un gros morceau de friandise et de quelques graines de grenade »[10]. Eden avait une excuse : elle était souvent malade.

À Simla, elle rencontra Lola Montez, la célèbre danseuse exotique espagnole – avant que cette dernière n'apprenne à danser, et avant qu'elle ne devienne espagnole. À l'époque, Lola Montez s'appelait encore Eliza James, née Gilbert, elle avait dix-sept ans et elle était accompagnée de son nouvel époux de trente ans, le lieute-

Lady Annie Brassey et sa famille «en route pour une chasse à l'antilope avec meute de guépards, Hyderabad ».
Brassey, 1889.

nant Thomas James. C'est en Angleterre que sa mère avait commis l'erreur de lui présenter Eliza. En moins de deux, Thomas séduisit la jeune fille, s'enfuit avec elle en Irlande, puis l'épousa. En septembre 1839, une fois la permission du lieutenant terminée, le couple effectua la traversée vers Calcutta. Eden s'éprit follement de la beauté d'Eliza, mais prédit au couple un sombre avenir[11]. Toutefois, le destin de Mme James/Montez devrait attendre.

Simla était un vivier d'aventures amoureuses, car beaucoup de femmes y séjournaient sans leur mari, et il y avait là des officiers sans leur épouse. Cette pléthore de jeunes femmes célibataires faisait du chaperonnage une activité florissante. Eden écrit que le simple fait de regarder un homme une seconde de trop signifiait que l'on s'inté-ressait à lui, et que lui accorder davantage qu'une seule danse équi-valait à une déclaration de fiançailles. En 1879, Anne Blunt commit l'erreur tactique de laisser Wilfrid seul à Simla. Aussitôt, il courtisa une certaine Mme Batten, qui devint ensuite l'une de ses maîtresses[12].

Les femmes qui vivaient en Inde s'y entendaient pour évincer celles qui y étaient simplement de passage. Parmi ces dernières, il y eut justement Ida Pfeiffer, qui arriva à Ceylan en 1847 lors de son premier tour du monde. Elle venait de Hong Kong, *via* Singapour et Ceylan, puis s'était rendue à Madras, Calcutta et Bénarès. Son voyage de sept semaines de Delhi à Bombay, avec une succession de pilotes et de guides indiens pour seule compagnie, sortait tout à fait

de l'ordinaire. Tour à tour, elle eut pour moyen de transport des bœufs, des chariots ou des chameaux. Elle dormait dans des caravansérails avec d'autres voyageurs indiens, ou parfois dans la demeure de fonctionnaires en poste. En février 1848, elle débarqua dans la petite ville de Rumtscha (au sud de Kotah), qui n'offrait aucun logement, et elle dut aménager sa couche sous une véranda, à l'extérieur. Elle finit par faire part de ses frustrations de voyageuse : «La moitié des habitants de la ville se rassemblèrent autour de moi, et surveillèrent tous mes faits et gestes avec la plus grande attention. Je leur offris ainsi une occasion d'étudier la physionomie d'une femme européenne en colère[13]. »

Marianne North et Constance Gordon Cumming consacrèrent elles aussi beaucoup de temps à visiter l'Inde. Marianne North y séjourna de 1877 à 1879, elle explora le pays de fond en comble. L'ouvrage de Constance Gordon Cumming, *Dans l'Himalaya et les plaines indiennes* (1884), répondait à la question brûlante de ce que les femmes pensaient de la statuaire érotique découverte dans certains temples. Elle décrivit ainsi le temple d'Allahabad, l'Akshai Bar, auquel elle accéda par un escalier sale et faiblement éclairé : «Notre guide […] nous conduisit par de sombres corridors, et nous fit les honneurs de diverses idoles répugnantes, enchâssées dans des niches, certaines grandeur nature, d'autres très petites, mais toutes aussi hideuses les unes que les autres, toutes ornées de fleurs et mouillées à cause des libations de l'eau bénite du Gange [...]. On ne pouvait entrer en ces lieux sans frémir devant cette forme d'adoration diabolique sensuelle et terrestre.» Au bout de quelques mois, elle avouait : «La rapidité avec laquelle on s'habitue à tout cet attirail païen a quelque chose de stupéfiant [...]. À présent, ajoutait-elle, on oublie tout à fait d'être choqué. Tout cela semble si naturel et tellement en accord avec le sentiment populaire[14] !»

À Simla, Constance Gordon Cumming s'entendit avec un capitaine et une certaine Mme Graves pour effectuer un périple de trois mois à la frontière tibétaine. Ils traversèrent d'incroyables territoires montagneux, le plus souvent en longeant la rivière Sutlej, et tombèrent sur de petits champs de lotus blancs en espaliers. Elle se fit porter par des porteurs tandis que «Mme Graves, étant une marcheuse de première catégorie [...], marchait tout du long, en s'éloignant parfois pour emprunter d'effrayants sentiers indigènes, ou pour escalader certaines collines redoutables jusqu'au sommet, d'où elle revenait quelques heures plus tard pour susciter ma jalousie avec des descriptions de sites restés pour moi hors d'atteinte[15].»

Dans une région infestée par le choléra, elle se sentit tellement souffrante – non pas à cause de cette maladie mortelle, mais simplement après avoir mangé des pommes de terre avariées – qu'elle crut trouver un sommeil éternel au pied des cèdres de l'Himalaya. Elle se remit d'aplomb grâce à son huile de castor, à laquelle elle avait recours en toutes circonstances. Le groupe atteignit Rarung, point extrême de sa progression, d'où l'on pouvait apercevoir le Tibet. (Rarung n'a pu être situé sur la carte. Soit de nombreux sites visités par Mme Cumming ont disparu, soit son orthographe a rendu son itinéraire très difficile à suivre.)

L'Himalaya fut aussi la destination de Marie de Ujfalvy-Bourbon, qui accompagna son mari, Karl Eugen von Ujfalvy, dans ses voyages d'études anthropologiques, en 1881[16].

Constance Gordon Cumming.
Gordon Cumming, *Aventures en Chine,* Edinburgh, Blackwood, 1888, frontispice.

La voie ferrée récemment ouverte leur permit d'effectuer rapidement et sans encombre le trajet de Bombay à Amballa, dans le Pundjab. Ils furent si rapides que, grâce à une erreur typographique dans son article publié dans *Tour du monde* (1883), ils partirent le 14 mai et arrivèrent le 12. Ensuite, ils continuèrent vers Simla en *dak gharry*. Là, le vice-roi leur obtint la permission de visiter Srinagar, voyage peu autorisé à cette époque.

Les bagages du couple, acheminés par vingt porteurs, consistaient en tentes, mobilier et ustensiles. En outre, ils avaient des domestiques et des chevaux avec leurs palefreniers. Le nombre de leurs serviteurs, de même que celui des animaux, s'amenuisait ou s'étoffait au gré des étapes. Marie adopta une gazelle, qui mourut en route. Un certain M. Clarke les accompagnait, qui était en mission de collecte pour le compte du South Kensington Museum, devenu depuis le London Science Museum. Leur itinéraire les conduisit à passer la rivière Sutlej, à franchir des cols de haute montagne et à traverser des hameaux. Tout au long de la route, Karl Eugen amassa des données anthropologiques, surtout des mesures crâniennes, un supplice auquel ses sujets se soumettaient parfois volontiers, d'autres fois non sans crainte.

Marie se fit souvent transporter en *ton jon*, mais lors d'une excursion jusqu'à une forteresse au sommet d'une colline, on l'installa dans un *dandy*, un hamac portable. Ses porteurs partirent à l'assaut d'un raccourci, un sentier des plus escarpés, en sautant de rocher en rocher comme des chamois, et sans tenir compte de

Une autre voyageuse
himalayenne, Nina
Mazuchelli, auteur de
Comment nous avons
traversé les Alpes de
l'Inde *(1876), juchée
dans un ton jon.*
Reproduit dans Knox Boy Travellers,
par Thomas W. Knox, New York,
Harper & Brothers, 1881, 422.

sa position malcommode. À la première halte, elle abandonna ce moyen de transport, et ses porteurs la poussèrent et la hissèrent tout le reste du chemin. La descente se fit sous un orage, et ne fut pas non plus favorisée par la tombée de la nuit. Elle remonta dans son *dandy* – imaginons ce hamac se remplissant d'eau comme une baignoire, et notre héroïne marinant à l'intérieur – quand, à un moment particulièrement périlleux, une rafale de vent les balaya, les hommes et elle, vers le rebord d'une falaise. Malgré tout, ils réussirent à descendre jusqu'au village[17].

Leur route les amena ensuite à traverser des plantations de thé et des zones où le choléra faisait rage. La maladie frappa tout leur groupe, alors qu'on était en pleine saison des pluies. Les bons traitements prodigués par un médecin anglais n'empêchèrent pas Marie de se plaindre de ses honoraires excessifs.

À Srinagar, ils rencontrèrent le maharadjah du Cachemire et s'émerveillèrent de la richesse de la ville. L'or, les étoffes chatoyantes et les fruits abondaient, et les jardins, enchâssés entre les canaux de la cité, étaient particulièrement beaux. À la mi-août, ils partirent en terrain montagneux pour la ville de Skardu, au Balistan, puis ils continuèrent au nord vers leur destination ultime, Askole, dans la chaîne du Karakoram.

La traversée du Karakoram à cheval ou en *dandy* était difficile, et ils durent marcher. Voyant ses bottes toutes déchirées, Marie remarquait, pince-sans-rire, que les cordonniers seraient ravis si tous les chemins étaient aussi cruels pour les souliers[18]. Le couple fit demi-tour avec regret, se sachant tout près du Tibet, mais on était en septembre, et les montagnes allaient bientôt devenir infranchissables. Après quelques jours passés à Srinagar et une excursion à Shalimar (non loin de Lahore) pour y visiter les fameux jardins, ils partirent pour Rawalpindi, où ils prirent le train pour retourner à Bombay.

Les jardins de Shalimar furent immortalisés par Laurence Hope, dans un recueil de poèmes envoûtants consacrés à l'Inde et intitulé *Garden of Kama* (1901). Hope, de son vrai nom Adela Florence Cory, était en réalité une jeune femme gouvernée davantage par la passion que par l'instinct de propriété, et qui, comme Isabelle Eberhardt, se sentait mal à l'aise dans le monde où elle était née. En 1881, à seize ans, elle quitta l'Angleterre et se rendit en Inde pour y rejoindre ses parents. Très indépendante, ayant déjà beaucoup voyagé, elle fut une recrue assez peu orthodoxe de la bonne société britannique de Lahore, où elle aida son père à publier sa gazette militaire. En 1889, elle rencontra l'amour de sa vie, le beau et flamboyant Malcolm Nicholson, un colonel de l'armée du Bengale, qui avait presque le double de son âge. Ils se marièrent, elle l'accompagna à la lointaine frontière du nord-ouest, parfois vêtue en garçon pachtoune afin de voyager sans encombre. Même après avoir réintégré la société ordonnée qu'elle avait en horreur, elle ne put s'y conformer, laissait ses cheveux défaits et recevait ses visiteurs pieds nus.

Laurence Hope (Adela Florence Cory).
Poèmes choisis parmi les Chants d'amours indiens, par Laurence Hope, Londres, William Heinemann, 1922, frontispice.

Son écriture exprimait un amour profond pour la vie aventureuse et merveilleusement libre qu'elle menait. La légende veut qu'elle soit devenue la maîtresse d'un prince indien, et son poème «Sur le mur d'enceinte» pourrait être interprété comme un témoignage de cette aventure. Toutefois, deux mois après la mort de Nicholson, en 1904, elle se suicida[19].

Parmi les milliers de femmes qui vécurent et voyagèrent en Inde, beaucoup laissèrent des journaux, des lettres et des livres. Celles qui sortent du lot surent résister à la vie protégée des Britanniques en Inde et cherchèrent à comprendre le pays. Quand elles y parvinrent, elles furent amplement récompensées en découvrant de l'intérieur cette terre d'une culture si riche.

Océanie
Les globe-trotteuses opèrent la jonction

POUR L'HABITANT DE L'HÉMISPHÈRE NORD, l'Océanie, dans sa désignation géographique, se présente un peu comme le dernier tiroir du bas, celui qui sert de fourre-tout. Constituée de quantité d'îles du Pacifique Sud, de l'Asie du Sud-Est, de l'Australie, de la Tasmanie et de la Nouvelle-Zélande, la région est d'une diversité déroutante, et rares sont les voyageurs qui réussirent à l'explorer entièrement.

AUSTRALIE ET TASMANIE
Le premier compte rendu de voyage en Australie probablement jamais publié fut signé de la main d'une femme. Il s'agit du *Voyage autour du monde* (1795) de Mary Ann Parker, l'épouse anglaise de John Parker, capitaine du navire de guerre *Gorgon*. Son voyage la conduisit au Cap, en Australie et dans l'île de Norfolk, avant le retour en Angleterre.

Mary Ann Parker était heureuse en ménage. Elle avait deux enfants et était proche de sa mère, avec qui elle avait voyagé en France, en Italie et en Espagne, mais quand son mari lui proposa ce périple et lui accorda deux semaines pour se décider, cela lui demanda moins d'une minute.

Le voyage aller fut tolérable. Seuls deux membres d'équipage décédèrent. Elle trouva une compagne de voyage «convenable» en la personne de Mme King, l'épouse du gouverneur de Norfolk et, comme elle parlait l'espagnol, elle fit office d'«interprète générale» lorsqu'on jetait l'ancre dans des ports hispanophones[1].

Ils arrivèrent à Port Jackson (au nord de Sydney) en septembre 1791. Elle visita Sydney Cove et Paramatta, remarqua les perspectives appréciables qui s'offraient aux colons et commenta le coût élevé de l'entretien d'une telle colonie et l'état choquant de nudité des «habitants de Nouvelle-Galles du Sud, tant les hommes que les femmes». Elle goûta aussi la cuisine locale : «Il m'est souvent arrivé de manger un morceau de kingourou [*sic*], écrit-elle, avec autant de bonheur que si l'on m'avait servi un mets du plus grand

« Une cavalcade de Hawaïennes. » Isabella Bird apprit à monter en amazone auprès de cavalières comme celles-ci, quand elle se trouvait dans les îles Sandwich (Hawaii).

Émile Bayard, *Tour du monde 26*, 1873, 217.

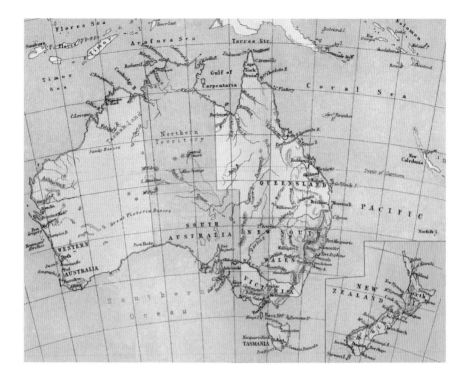

raffinement […], et, pourtant, ces temps derniers, je
m'en suis lassée, pour finalement trouver cette viande
très désagréable[2].»

Pour le voyage du retour, le bateau, que l'on avait
déjà chargé d'hommes, de bétail et de provisions, fut rempli à ras
bords de kangourous, d'opossums et de «toutes les curiosités que le
pays produisait[3]». Le capitaine Parker mourut de la fièvre jaune sur
la route, et quand Mme Parker débarqua, elle était veuve.

Louisa Anne Meredith, auteur des *Notes et Croquis de Nouvelle-
Galles du Sud* (1844), accompagna elle aussi son mari en Australie.
Toutefois, à l'inverse de Mary Ann Parker, Meredith avait prévu de
rester. Le couple quitta l'Angleterre en juin 1839 à bord du *Letitia*,
un navire marchand en partance pour Sydney, sans escale. Ses espoirs
de visiter Madère et Ténériffe étant anéantis, elle tira le meilleur
profit possible de la vie à bord, même si, les premières semaines, le
mal de mer découragea ses bonnes dispositions. Son récit est un
compte rendu plaisant de l'existence à bord d'un voilier exigu.

Après leur arrivée, son mari et elle se rendirent à Bathurst, à
environ 190 kilomètres de la capitale. Ses descriptions des plantes et
des paysages sont bien tournées, tout comme ses observations
piquantes sur les conditions de vie des Aborigènes et le statut des
ex-forçats en pleine ascension sociale, mais elle excelle dans la des-

cription de l'état lamentable des hôtelleries de Nouvelle-Galles du Sud. Les Meredith descendirent dans de nombreuses auberges. L'une d'elles était baptisée le *Rivulet* [le ruisselet]. Cet hôtel promettait un accueil de grand style : hélas, c'était le théâtre de « bacchanales orgiaques », et pire encore. Inspectant leur chambre, les Meredith découvrirent des draps si noirs qu'« une demi-douzaine de ramoneurs occupant le même lit durant une quinzaine de jours n'auraient pu y laisser des traces de souillures aussi noires ». Après s'être plainte, elle se fit remettre des parures propres. Mme Meredith refit les lits et s'apprêtait à se coucher quand la femme de chambre frappa à la porte. « S'il vous plaît, m'dame, fit cette dernière. La maîtresse voudrait les draps que vous avez retirés de votre lit, pour un gentilhomme qui vient d'arriver ! » En s'aidant de son manche de parasol, Mme Meredith poussa les linges crasseux sur le seuil[4].

Un critique anglais fit l'éloge du livre de Louisa Anne Meredith : « C'est un réel plaisir que d'accompagner une telle dame sur mer et sur terre – même si la traversée s'est prolongée quatre mois, dans la monotonie, à bord d'un navire marchand, pour laisser place ensuite à la terre brûlée, à la sécheresse persistante d'un pays dénué de tout intérêt passé ou présent, tant historique, poétique, pictural que social : la Nouvelle-Galles du Sud[5]. »

Meredith vécut aussi en Tasmanie et dans l'État de Victoria, et fut l'auteur d'autres ouvrages, notamment *Ma maison de Tasmanie, durant un séjour de neuf années* (1852), *Notre terre insulaire* (1879) et *Amis et Ennemis de Tasmanie : à plumes, à fourrure et à nageoires* (1880). Elle mourut à Melbourne en 1895.

Ellen Clacy, jeune Anglaise alors célibataire, pleine d'entrain, dont on ne conserve pas trace du nom de jeune fille, se rendit en Australie avec son frère en 1852, inspirée par les reportages sur les grandes richesses que l'on pouvait dénicher dans les *diggings* (les mines d'or). Moins d'un an plus tard, elle rentra en Angleterre, accompagnant un M. Charles Clacy et projetant de publier un livre : *La Visite d'une dame dans les mines d'or de l'Australie* (1853).

De Melbourne, le frère et la sœur se dirigèrent vers les champs aurifères de Bendigo, mais auparavant elle put coucher quelques mots sur la rudesse des conditions de vie et les prix prohibitifs de la capitale, Victoria. Selon Clacy, tout

Le buckboard, *quatre planches montées sur roues, moyen de transport courant en Australie.*
Brassey, 1889, 280.

était d'occasion, le sherry était frelaté, les omnibus de simples chariots, les maisons misérables. Les hôtels étaient occupés au-delà de leur capacité, si bien que leur groupe, qui comptait désormais six personnes, avait fini dans une demeure privée, les cinq garçons entassés dans une chambre et Clacy partageant un lit avec la maîtresse de maison.

Toutefois, leur excitation à la perspective de faire fortune était si grande qu'aucune de ces vicissitudes, pas plus que la menace des voleurs ou des pluies diluviennes, ne put refroidir cette fièvre. À Bendigo, ils délimitèrent leurs concessions par des piquets. Clacy tenait la maison (ou plutôt, la tente) et lavait les cailloux au tamis, tandis que les hommes creusaient. Ses descriptions de voyage sont amusantes, mais son compte rendu des champs aurifères est captivant. De ces milliers de gens «qui creusaient, qui poussaient, qui portaient et qui lavaient», jusqu'à une jeune orpheline demeurée seule dans sa tente avec le cadavre de son grand-père, peu de détails lui échappaient sans lui inspirer un bref commentaire. Nous savons peu de chose la concernant, si ce n'est qu'elle était «un exemplaire au format de poche du sexe féminin» et qu'elle resta figée de peur lors d'un hold-up[6]. Après sa *Visite d'une dame*, elle écrivit des romans.

Les sœurs Florence et Rosamond Hill, auteurs de *Ce que nous avons vu en Australie* (1875), désireuses d'aller poursuivre leurs bonnes œuvres en Australie, firent grand cas du fait qu'elles partaient sans escorte. Elles refusèrent d'admettre que ce choix fût aventureux, soutenant qu'il était désormais facile de voyager aux Antipodes. Et les sœurs Hill avaient raison : leur voyage n'eut rien de dramatique. Précédemment, en 1873, elles s'étaient rendues à Venise par le rail, pour embarquer à bord d'un confortable vapeur de la P & O. Leur séjour en Égypte avait été facilité par l'aide d'un cousin. À Adélaïde, une tante leur laissa sa maison comme point de chute durant près de six mois.

Le voyage des sœurs Hill est intéressant, de par le choix de leurs activités touristiques. Elles acceptèrent quelques excursions en montagne ou au bord des lacs, mais leur but était surtout de visiter autant de prisons, d'orphelinats, de maisons de redressement, de fermes, de mines et d'asiles pour indigents que possible. Le clou de leur séjour à Sydney fut la visite du port, où elles découvrirent la maison de correction installée à bord d'un navire et une école industrielle à Cockatoo Island[7]. Qu'auraient dit ces deux charitables sœurs si elles avaient su que le Petty, leur hôtel à Sydney, avait accueilli la très immorale Lola Montez vingt ans plus tôt ?

Les sœurs Hill étaient si infatigables et leur ouvrage si sincère, qu'elles ont dû retarder l'essor du tourisme sur le continent australien d'au moins une décennie.

PACIFIQUE SUD ET ASIE DU SUD-EST

Si l'Australie était rude et mouvementée, le Pacifique Sud et l'Asie du Sud-Est étaient lointains, sauvages et infestés par la malaria. Soit les voyageurs qui partaient pour ces régions avaient une vocation, incarnée dans un mari ou un métier, soit ils appartenaient à la catégorie rare et courageuse d'individus comme Ida Pfeiffer, qui s'y rendit à deux reprises. Son premier voyage eut lieu en décembre 1846 : elle attrapa au passage une barque hollandaise de Valparaiso à Hong Kong *via* Tahiti, une étape de son premier voyage autour du monde. Tahiti la laissa stupéfaite : c'était un paradis, mais elle ne pouvait accepter les vies «dépravées» des Tahitiennes éprises de plaisirs. Elle jugeait particulièrement choquantes leurs relations

Le Braganza, *où Ida Pfeiffer embarqua en 1847, de Singapour à Ceylan. À l'origine, il devait être affecté à la route Londres-Constantinople.*
ILN, 6 juillet 1844, 4.

pécheresses avec les marins européens qui abordaient régulièrement sur ces côtes. Mais son séjour de trois semaines fut amplement récompensé par la beauté de l'île et une profusion de fruits et de crustacés délicieux.

Le second voyage de Pfeiffer en Océanie, entrepris à l'âge de cinquante-quatre ans, s'inscrivit dans son deuxième tour du monde. Elle quitta Vienne en mars 1851, avec pour financement partiel une subvention de cent cinquante livres allouée par le gouvernement autrichien, et des réductions ou des billets gratuits que lui valut son statut d'écrivain parvenu à la quasi-célébrité. La partie asiatique de son itinéraire la conduisit dans ce que l'on appelait alors l'archipel d'Orient (l'Indonésie) : Singapour, Bornéo, Java, Sumatra, les Célèbes, Céram et les Moluques. À Bornéo, elle fut confortablement logée dans la demeure du radjah James Brooke, mais après un bref séjour elle s'enfonça dans la jungle, où elle eut l'émotion de découvrir deux têtes humaines fraîchement coupées, conséquence d'une guerre tribale dayak.

Grâce aux efforts de James Brooke, Bornéo avait pu être un peu pacifié, mais Sumatra, son étape suivante, ne connut pas semblable férule, et les rapports sur les tribus battacker assassinant des Euro-

péens n'étaient pas rares. Imperturbable, Pfeiffer parcourut quelque 1 100 kilomètres à cheval et 240 à pied, sut se sortir en douceur d'une confrontation avec des cannibales et partagea leurs huttes avec des indigènes. Les épreuves qu'elle surmonta durant ces expéditions prélevèrent leur dîme, et, en dépit de ce qu'elle appelait sa «constitution presque indestructible», elle commença de souffrir de la malaria[8].

Sa présence à Bornéo et Sumatra fut «un phénomène inédit et surprenant. Très peu [de natifs] avaient déjà

Ida Pfeiffer était apparemment de petite taille, frêle et un peu voûtée, mais elle marchait extrêmement vite pour son âge. Chaque fois qu'elle rentrait de voyage, elle arborait un hâle intense. Autrement, ses traits ne révélaient aucune de ses expériences extraordinaires[9].

Mettais, d'après une photographie, *Tour du monde* 5, 1862, 405.

vu un homme blanc, et de femme blanche, aucun ; et leur stupéfaction fut d'autant plus grande, car, selon leurs conceptions, une femme seule ne peut guère s'aventurer à plus de quelques mètres de sa hutte ». C'est à son sexe qu'elle attribuait sa relative facilité à voyager. « Si j'avais été un homme, écrit-elle à Sumatra, on m'aurait prise pour un espion, et soit on m'aurait renvoyée chez moi, soit, plus vraisemblablement, on m'aurait mise à mort[10]. »

En tant qu'auteur, elle fut flattée lorsque le roi des Célèbes, qui avait entendu dire qu'elle écrivait un livre, lui proposa « cent roupies pour en avoir un exemplaire dans sa langue. Quel galant souverain ! s'écria-t-elle. Que n'aurais-je fait, et quelle extension mes projets de voyage n'eussent-ils connue, si seulement j'avais pu amener les gens, en Europe, à en penser autant de moi[11] ! »

C'est pour des raisons de santé que la plupart des voyageurs quittaient l'Asie du Sud-Est. Anna Leonowens, elle, se rendit à Singapour avec son mari pour ce motif. Quand il mourut, elle subvint à ses propres besoins et à ceux de ses enfants. En février 1862, elle reçut une lettre du roi de Siam, qui la priait de venir enseigner à ses enfants. Elle décida de tenter sa chance. Avec son jeune fils, Louis, elle prit le vapeur *Chow Phya* de Singapour à Paknam (Samut Prakan), non loin de Bangkok.

Les premières visions qu'elle eut du Siam la laissèrent sans voix :

Il y avait là cette étrange ville flottante, avec ses habitants encore plus étranges, devant toutes ces vérandas, ces quais, ces jetées, ces radeaux, ces bateaux, ces canoës, ces gondoles, ces jonques et ces vaisseaux innombrables, le nuage de fumée noire du vapeur, le grondement imposant des machines, le murmure et le crissement ; les cris déconcertants des hommes, des femmes et des enfants, les hurlements des Chinois, et l'aboiement des chiens – et pourtant, personne n'en paraissait troublé, sauf moi[12].

Rien n'avait été prévu pour elle, et elle passa donc la première nuit dans la maison d'un compatriote, le capitaine B… Le lendemain, le

Premier ministre l'installa dans son palais, où elle se retrouva au centre de l'attention du harem princier. Les femmes lui demandèrent si elle préférerait devenir l'épouse du Premier ministre ou celle du roi. Quand elle leur répliqua qu'elle aimerait mieux être soumise à une mort lente plutôt que de les épouser l'un comme l'autre, elles furent stupéfaites, comme si cela équivalait à laisser filer un véritable butin d'or et de bijoux[13].

Paknam : probablement la première vision qu'Anna Leonowens eut du royaume de Siam. Sabatier, *Tour du monde* 8, 1863, 222.

On la conduisit enfin devant le souverain, et sa description de l'entrée du palais impérial paraît vraiment issue d'un conte de fées. Escortée par le capitaine B…, elle suivit un chemin couvert qui passait devant plusieurs temples. L'un de ces temples abritait le majestueux «Bouddha couché» doré à la feuille. Un autre temple, celui du Bouddha d'émeraude, était orné d'emblèmes, de figures mythologiques et de constellations. L'autel, une pyramide de trente mètres de hauteur, était surmonté d'une flèche d'or, et le sol était dallé de cuivre poli. Quant au Bouddha d'émeraude, il était fait d'or et incrusté de pierres précieuses.

Ils gravirent l'escalier de marbre et, sans se faire annoncer, entrèrent dans une vaste salle. Leonowens écrit : «Alignées sur le tapis, il y avait là quantité de formes prosternées, muettes et immobiles, sur lesquelles on se sentait tenté de marcher, tentation aussi cocasse que dangereuse. Sa Majesté posa sur nous un bref regard scrutateur, puis brusquement s'avança, en criant d'une voix irascible : "Qui ? qui ? qui ?"» Le capitaine B… l'avait prévenue qu'elle devait s'attendre à une batterie de questions personnelles. Le roi décocha la première :

Le roi de Siam, Somdetch
P'hra Paramendr Maha
Mongkut, et son épouse.
E. Bocourt, d'après une photographie,
Tour du monde 8, 1863, 225.

«Quel âge avez-vous donc?» À quoi elle répondit:
«Cent cinquante ans.» Elle poursuivit:

Si je m'étais déclarée beaucoup plus jeune, il m'aurait
peut-être ridiculisée, ou bien agressée. Mais en fait il resta
quelques instants surpris, embarrassé […] et puis enfin,
commençant de saisir la plaisanterie, il toussa, il rit, toussa de nouveau, et d'une voix tranchante et haut perchée, il me demanda: «En
quelle année êtes-vous née?»
Instantanément, je calculai mentalement et lui répondis, avec le plus
grand sérieux possible:
«En 1788.»
À ce moment, l'expression du visage de Sa Majesté était d'un
comique indescriptible. Le capitaine B… se glissa derrière un pilier

pour pouffer de rire… Sa Majesté […] repartit à l'attaque de plus belle.

«Depuis combien d'années êtes-vous mariée?

– De nombreuses années, Votre Majesté.»

Il se plongea dans de sombres pensées, puis, en riant, il se précipita vers moi, et me demanda, avec un air triomphant:

«Ah! Combien de petits-enfants avez-vous, à présent? Ah! Ah! Combien? Combien? Ah! Ah![14]»

Les six années qu'Anna Leonowens vécut à la cour, elle les consacra à amadouer et à défier le roi. Sa classe s'agrandit jusqu'à comprendre la nombreuse progéniture du souverain, mais également ses épouses. Elle devint également traductrice, femme d'influence et diplomate. À l'été 1866, elle fut trahie par son état de santé, et un an plus tard elle quittait le Siam. Si son existence dans l'«Orient tumultueux» l'avait épuisée, ce départ fut difficile et se fit dans les larmes. Le roi l'assura que tout le monde allait la regretter, même si elle était «une femme difficile, et plus difficile que bien des gens[15]». Son histoire inspira une pièce de théâtre qui connut un immense succès et deux films.

Isabella Bird.
ILN, 27 juin 1891, 839.

À l'inverse, c'est à cause de sa santé précaire qu'Isabella Bird entreprit son voyage aux Antipodes – entamé au milieu de l'année 1872. Pour elle, l'insomnie, la fragilité de ses nerfs et un dos fragile furent de bonnes raisons de quitter sa maison et sa faible sœur, Henrietta, pour faire route vers l'Australie. Mais ce pays ne lui fit guère impression, et elle décida de pousser jusqu'aux États-Unis, qu'elle avait déjà visités, jeune fille. Une escale imprévue aux îles Sandwich (Hawaii), pour aider à soigner un compagnon de voyage souffrant, se transforma en un séjour de six mois. Captivée par cette terre luxuriante et sauvage, elle l'explora à cheval, en amazone, en dépit de sa colonne vertébrale douloureuse. En fait, sa santé s'améliorait à un point incroyable. Au soleil comme sous la pluie diluvienne, traversant des rivières torrentielles et des vallées profondes, elle gravit les deux volcans en activité de Kilauea et Mauna Loa. Elle résida souvent chez l'habitant, des Hawaiiens hospitaliers, car il y avait peu d'auberges. En général, elle proposait une petite somme à titre de dédommagement, mais à Waipio son hôte refusa cet argent, en lui disant qu'«il aurait honte d'accepter quoi que ce soit d'une

dame voyageant sans époux[16]». Elle rendit aussi visite à des missionnaires, comme elle le fit lors de tous ses voyages ultérieurs. *L'Archipel
des Hawaii : six mois au milieu des palmeraies, des récifs coralliens et des volcans des îles Sandwich* (1875) fut le fruit de ce voyage.

Six ans plus tard, elle était en Asie du Sud-Est, après avoir visité
le Japon de l'intérieur. En janvier 1878, elle prit la direction de Sai-
gon et Singapour, et de là elle gagna Malacca, où, en six semaines,
elle devait explorer l'actuelle Malaisie. Elle en fit un livre, *La Chersonèse d'or et le Chemin de là-bas* (1883). Grâce aux efforts qu'elle fit
pour aller à la rencontre des autres, Isabella Bird profita de l'hospitalité, de la douceur du climat et des paysages magnifiques. Sans les
épreuves qui marquèrent ses autres périples, elle put s'informer des
détails de la flore et de la faune, et réunir des données statistiques
touchant à la démographie et à l'économie.

Le clou de cet ouvrage se situe lors de son séjour à la résidence britannique de Kwala Kangsa, dans l'État de Perak. En l'absence de son
résident, M. Low, elle fut accueillie par son domestique. Usée par le
trajet et guère d'humeur à supporter de la compagnie, elle passa dans
la salle à manger, où la table était mise pour trois. Après qu'elle eut pris
place, les autres convives furent introduits par deux serviteurs. Il s'agissait de Mahmoud et Eblis, deux singes aussi charmants qu'imprévi-
sibles. Le dîner, une vraie fantaisie tropicale, se déroula en grande
pompe et fut uniquement interrompu par Mahmoud, qui s'empa-
rait énergiquement des plats au passage. Isabella Bird se demanda :
«Vivrai-je jamais un dîner qui me procurera autant de plaisir[17]?»

Emily Innes, femme de magistrat, reçut comme une insulte cette
peinture élogieuse que Bird avait fait de la Malaisie et écrivit sa
propre description de la vie épouvantable qu'y menaient les femmes
européennes, *La Chersonèse d'or dédorée* (1885). Et elle avait de bonnes
raisons de se plaindre. Alors qu'elle habitait dans la demeure des
Lloyd, le capitaine Lloyd se fit assassiner et son épouse eut le crâne
fracturé, apparemment par un gang chinois. Elle se fit elle-même
malmener. Isabella Bird évoqua l'incident, mais n'y accorda, comme
à d'autres contrariétés, que quelques pages[18].

Marianne North, une autre globe-trotteuse, effectua deux
voyages en Océanie. Le premier eut lieu en 1876, lors de son premier
tour du monde – qui n'était pas son premier voyage au long cours.
Elle résida chez les Brooke, au Sarawak (Kuching), avant de partir
pour Java. De là, elle continua vers Ceylan et rentra en Angleterre.

Quatre ans plus tard, elle se laissa persuader par Mme Brooke de
retourner au Sarawak avec le radjah et elle. Marianne North passa

six semaines à peindre, à herboriser et en randonnées dans la jungle, puis elle poursuivit vers l'Australie – avec Brisbane pour première escale. Durant les six mois suivants, elle sillonna l'Australie, parfois seule, ou encore avec une compagne de voyage. La ligne de diligence, Cobbe and Co., était si fière de transporter des dames non accompagnées qu'elle «télégraphia au préalable à toutes les haltes pour que l'on y tienne prête une portion de bœuf supplémentaire[19]».

Melbourne, déclara-t-elle, «est de loin la vraie ville d'Australie[20]». Elle se rendit aussi à Adélaïde, puis à Perth par la mer. Elle regagna Melbourne, avant de visiter la Tasmanie, la Nouvelle-Zélande et Hawaii. Ses voyages, entrepris essentiellement dans le cadre de son programme de peintures et de collecte de plantes rares, s'ils furent inusités et ardus, n'eurent pas le caractère audacieux de ceux de Pfeiffer. Et puis North avait davantage de relations et d'argent.

Constance Gordon Cumming, qui disposait elle aussi de certains moyens, débarqua dans le Pacifique Sud en qualité de compagne de voyage de la femme du nouveau gouverneur des Fidji. Quand on lui offrit l'occasion d'un périple à bord d'un vaisseau de guerre, elle ne put y résister. De ses voyages dans la région, effectués dans les années 1870, elle tira la matière de trois livres : *Chez moi, dans les Fidji* (1881), *La Croisière d'une dame à bord d'un navire de guerre* (1882) et *Fontaines de feu dans les îles Sandwich* (1883).

Anna Forbes voyagea dans l'archipel d'Orient au milieu des années 1880, avec son mari, le naturaliste Henry O. Forbes. Elle s'émerveilla de l'architecture, du climat et de la végétation tropicale. Elle fut choquée de voir que les Hollandaises portaient leurs cheveux dénoués, arboraient des sarongs et glissaient leurs pieds sans bas dans des pantoufles, mais ensuite elle se laissa convaincre de porter à son tour des tenues similaires. *Insulinde : expériences d'une*

Marianne North voyagea dans toute l'Asie du Sud-Est, dans l'archipel d'Orient et en Australie, en quête de nouvelles plantes exotiques à peindre. Un certain nombre de ces plantes furent baptisées de son nom, parmi lesquelles la Northea seychellana, *la* Nepenthes northiana, *le* Crinum northianum, *l'*Areca northiana *et la* Kniphofia northiae[21]. Photographie par Elliot et Fry, North 1893, frontispice.

Les Brassey passant une   *femme de naturaliste dans l'archipel d'Orient* (1887) révèle
rivière à gué, à Bornéo.   toute l'étroitesse du monde d'Anna Forbes et montre
Brassey, 1889, en regard de la p. 196. son désir de prendre part à cette existence nouvelle.

Les Forbes explorèrent les Indes orientales néerlandaises pour les études de Henry. Le voyage fut souvent difficile,
et une jeune femme portugaise, que Forbes avait brièvement rencontrée, admit que c'était son rêve d'être femme d'explorateur, mais
qu'elle comprenait à présent que ce n'était pas toujours «une vie
romantique et un éternel pique-nique[22]».

Le couple visita Surabaya, Macassar (où Mme Forbes ne put
trouver trace de la fameuse huile capillaire), la Nouvelle-Guinée, les
îles de Banda, Ambon et, leur but véritable, Timor Laut (les îles
Tanimbar), où Henry la quitta pour pénétrer dans l'intérieur des
terres. C'est lors de cette dernière halte qu'elle succomba à la fièvre
et à la peur. Un jour, elle descendit sur le port, espérant confier ses
lettres au prochain vapeur, mais elle était si terrorisée à l'idée de
rencontrer quelqu'un, homme ou bête, qu'elle se trompa de chemin,
cria et s'effondra en larmes, et se retrouva seule dans une ruelle avec
un indigène. Des voleurs lui dérobèrent tout ce qu'ils purent
emporter de sa maison, et elle fut incapable de s'approvisionner en
nourriture. Poussée à bout par l'isolement, la malaria eut presque
raison d'elle, et elle écrit que, si elle n'avait eu la vision de Henry

découvrant son cadavre grignoté par les rats, qui se montraient de plus en plus intrépides, elle se serait laissée mourir. Elle parvint à transmettre un message au médecin du village voisin et put ainsi être secourue. Henry rentra précipitamment, et tous deux admirent qu'elle devait rentrer en Angleterre.

Il est clair qu'Anna n'était nullement préparée à un tel voyage, ni mentalement ni physiquement. Elle en tira la conclusion que ces conditions de vie difficiles éliminaient les Indes orientales néerlandaises de la liste des destinations touristiques. Ce verdict n'empêcha pas Lady Annie Brassey et sa famille d'y jeter l'ancre en 1887, à bord de leur yacht, le *Sunbeam*. Ce devait être le dernier voyage de cette mère de cinq enfants, auteur de cinq livres très populaires, magnifiquement édités, consacrés à ses périples, et qui fut une collectionneuse enthousiaste de spécimens d'histoire naturelle. Son mari, Thomas, était membre de la Chambre, et elle fit inlassablement campagne pour lui. Malgré tout, leur couple réussit à se ménager de longues périodes loin des obligations politiques et domestiques, pour vagabonder à sa guise. Ils avaient déjà visité l'Arctique, les Caraïbes, l'Amérique du Sud et la Polynésie à bord du *Sunbeam*, leur schooner trois-mâts de 540 tonneaux, qui embarquait un total de quarante passagers et membres d'équipage. Ce voyage entamé en novembre 1886 les conduisit en Méditerranée, en mer Rouge jusqu'à Aden, puis à Bombay, Ceylan, Rangoon, Singapour, Bornéo, Sarawak, Macassar, en Australie occidentale, à Adélaïde, Melbourne et Sydney, avec enfin un retour par l'océan Indien. Les funérailles de Lady Annie, le 14 septembre 1887, par 15° 50' S et 110° 38' E, furent simplement indiquées par une croix noire dans le livre de bord, adjoint à son ouvrage *Le Dernier Voyage 1886-1887* (1889). Avec un ami proche, son mari acheva son récit.

Lady Annie Brassey.
ILN, 22 octobre 1887, 483.

Dans ses ouvrages, Lady Annie avait évoqué sa diminution physique. C'est un miracle que si peu de voyageuses aient connu une fin identique, car la moindre maladie, le moindre accident, au XIXᵉ siècle, pouvait tourner au désastre.

Rester en vie

CRISTINA DI BELGIOJOSO DÉVELOPPA L'UN DE CES BUBONS à Alep. Ida Pfeiffer fut avertie du danger et se félicita (prématurément) d'être sortie de Mésopotamie avec une simple éruption superficielle, mais lorsqu'elle arriva chez elle, les bubons sortirent en masse et la harcelèrent durant huit mois. Ils terrorisèrent Anne Blunt, mais elle réussit à leur échapper. S'agissait-il de piqûres d'insectes ? Non, c'étaient les boutons d'Aleph, d'horribles furoncles qui pouvaient marquer leurs victimes de profondes cicatrices. C'est en Égypte, en Syrie et en Irak que l'on contractait ces affections horribles, également connues sous le nom de boutons du Nil, de furoncles de Bagdad et de marques de Date, dont nous savons aujourd'hui qu'ils sont provoqués par des parasites. Ceux de Cristina di Belgiojoso n'étaient rien comparés aux treize boutons qui ornaient le nez d'un colonel polonais dont elle fit la connaissance[1].

Les furoncles ne provoquaient jamais qu'une irritation cutanée ; en revanche, la malaria, le paludisme, la peste, le choléra et la fièvre jaune pouvaient entraîner la mort. Les gouvernements instauraient des quarantaines, surtout destinées aux voyageurs qui arrivaient par mer. Des femmes ont relaté leur emprisonnement à bord de leur navire ou dans des maisons de quarantaine, ou lazarets, abris souvent sordides et meublés à la diable dans lesquels on entassait les gens.

Les voyageuses d'autrefois se seraient moquées des femmes modernes qui répugnent à voyager quand elles sont enceintes. Anne Blunt ne laissa pas ses grossesses, à part deux fausses couches, l'une en Algérie, l'autre en Arabie, interrompre ses périples. Pas plus que Lady Londonderry, qui fit elle aussi une fausse couche à Vienne. Selon les sources, Ann Fanshawe eut quatorze, dix-sept ou dix-huit enfants, à peu près autant qu'elle entreprit de voyages.

Ceux qui voulaient rester en bonne santé avaient tout un assortiment de trucs, comme porter de la flanelle dans les climats chauds pour se protéger des coups

〰️ Après les nombreuses histoires extraordinaires qu'on me relata sur le bouton d'Aleph (furoncle), j'étais quelque peu curieuse de voir et de juger par moi-même ce qu'il y avait de vrai dans tout cela. […] Vingt-quatre heures passées à Aleph me convainquirent de l'universalité de cette maladie.
— Cristina di Belgiojoso[2].

Des passagers qui avaient déjà vécu presque sept mois à bord pouvaient s'attendre à se voir imposer des délais d'attente supplémentaires par les officiers de quarantaine. Ce navire a jeté l'ancre dans un port de l'ouest de l'Inde.
Harper's Weekly, 29 novembre 1873, 1069.

de froid et prendre de la quinine, ou encore fumer du tabac, dans les régions infestées par la malaria. Boire du vin était très courant, surtout au XVIIIe siècle, à cause des eaux infestées de microbes. La dysenterie et le choléra, maladies qui touchent le transit intestinal, étaient fréquentes et généralement traitées par la prise d'opium destinée à enrayer les diarrhées. Durant une période de famine et d'inondation en Inde du Sud, Marianne North écrit : « Tout le monde prend de l'opium, j'ai donc suivi cette mode, car il vaut mieux prévenir que guérir. » À Yokohama, elle souffrit d'une crise de rhumatismes si grave qu'elle fut envoyée auprès d'un médecin américain. « [Il] m'injecta de la morphine dans le bras, ce qui me fit dormir vingt-quatre heures. Les clients de l'hôtel me crurent morte[3]. »

À ma connaissance, les femmes voyageuses, en règle générale, ne buvaient pas et ne prenaient pas de drogues pour leur seul plaisir, même s'il y eut des exceptions. Durant sa traversée de Liverpool à Halifax, en 1854, à bord du *Canada*, Isabella Bird fut révulsée par sa compagne de cabine constamment éméchée qui gardait une réserve de gin, de cognac et de bière calée dans sa couchette. Cristina di Belgiojoso expérimenta le haschich à Damas, mais fut déçue. « J'ai fumé du haschich, j'en ai mangé, j'en ai bu, mais tout cela en vain. Ma cervelle (je ne dirai pas mon esprit) ne fut prise d'aucun vertige, et je restai quasiment impassible[4]. » Cristina di Belgiojoso fit pousser des pavots d'opium dans sa ferme de Turquie. Isabelle Eberhardt était connue pour fumer du kif et boire de l'absinthe. Chez elle, cela devint une habitude qui finit par menacer sa santé déjà précaire.

Lady Mary Duffus Hardy se démena bec et ongles pour obtenir qu'un gentleman l'escorte dans une fumerie d'opium, à Chinatown (San Francisco). Isabella Bird avait sa propre fumerie à bord de son *houseboat* sur le Yang-tseu-kiang, mais elle en refusa les plaisirs. En fait, les fumées d'opium mêlées aux produits chimiques de sa chambre noire et aux brumes insalubres de la rivière ont dû plus d'une fois lui monter à la tête.

Fanny Parks se documenta sur l'usage du *ganja*, du *bhang*, de la datura et de l'arak en Inde, et elle essaya l'opium, un gros morceau qu'elle prit pour soulager une douleur faciale. Sous l'influence de la drogue, elle se sentit au comble du bonheur et encore plus loquace qu'à l'ordinaire, jusqu'au lendemain matin, quand elle eut finalement besoin de prendre un remède pour soulager la migraine causée par l'opium. Évoquant la délicatesse d'un sauté de fleurs de pavots à opium, elle remarqua : « Si vous en absorbez suffisamment, vous vous sentirez aussi éméché qu'un mortel peut le désirer[5]. »

Une femme algérienne, fumeuse de narguilé.
Carte postale, vers 1900.

De nombreuses femmes qui voyagèrent ou vécurent en Orient fumèrent du tabac. Burton estimait que les femmes pouvaient fumer la cigarette, le narguilé ou la chibouque avec grâce, mais désapprouvait le cigare ou la pipe en terre. Belgiojoso fumait le narguilé avant même de se rendre en Turquie. C'est sur la chibouque, cette pipe à long tuyau, que Harriet Martineau porta son choix. Elle explique : « Je ne voyais pas au nom de quoi j'aurais dû me l'interdire, pas plus que les dames anglaises ne s'interdisaient leur verre quotidien de sherry à la maison – petit plaisir dont je n'éprouvais pas le besoin. » Harriet Martineau n'avait aucun besoin d'un petit cordial quotidien : pour supporter ses journées, elle se fiait davantage au mesmérisme et à l'opium[6].

Chine, Japon et Tibet
Foi et folie

EN JUILLET 1847, une Européenne débarqua d'une jonque dans le port de Canton. Le capitaine du bateau et elle s'enfoncèrent dans le dédale des rues, à la recherche de la maison de M. Agassiz, à qui elle devait remettre une lettre d'introduction. Avec l'aide du capitaine, elle trouva l'adresse, lui dit au revoir et frappa à cette porte. En voyant la minuscule quinquagénaire Ida Pfeiffer se présenter seule devant lui, M. Agassiz eut d'abord une réaction d'effarement, puis de surprise. La voyageuse écrivit elle-même par la suite qu'«il avait peine à croire que je n'aie connu aucune difficulté et ne présente aucune blessure. C'est de sa bouche que j'ai appris quels dangers j'avais encourus en traversant les rues de Canton sans autre escorte qu'un guide chinois. L'exploit était, paraît-il, sans précédent[1]».

Cela faisait seulement cinq ans – depuis la signature du traité de Nankin – que les femmes non asiatiques étaient admises dans l'un des cinq ports concernés, parmi lesquels figurait Canton (Guangzhou). Et même alors, elles y étaient tout juste tolérées. Pfeiffer ignorait-elle que depuis plus de cent ans les Européens à Canton avaient été soumis à huit règles très strictes, parmi lesquelles l'interdiction d'accès de la ville aux femmes[2]? Que ces règles aient été supprimées par le traité de 1842 ne faisait guère de différence : dans cette ville, la présence de femmes d'origine étrangère restait fort rare.

Mais elle dut entendre parler d'Anne Noble, dont le navire avait fait naufrage au large de Hangzhou en 1848, et qui avait perdu son mari et son bébé dans la tragédie. Après avoir été traités avec beaucoup de prévenance par les habitants, les survivants furent capturés par des soldats et Anne Noble fut conduite en prison. Jetée dans une petite cage, elle fut acheminée de ville en ville. Elle fut finalement libérée.

Les cinq semaines qu'Ida Pfeiffer passa à Canton se déroulèrent sans incident. Mis à part une escorte masculine pour l'accompagner dans ses incursions en ville, sa seule concession aux restrictions qui s'appliquaient aux femmes fut de porter un accoutrement masculin lors d'une visite sur les murailles. Elle mentionne une autre

Catherine de Bourboulon en tenue de voyage.
Émile Bayard, *Tour du monde* 11, 1865, 241.

Chine et Japon.
Atlas pratique Philip's, vers 1897

Européenne, une certaine Mme Balt, épouse d'un missionnaire, et observe que les quelques marchands qui emmenaient leur famille avec eux ne la laissaient sortir qu'en litière fermée[3]. Constance Gordon Cumming, Annie Brassey et Isabella Bird devaient à leur tour se rendre à Canton dans les années 1870, mais, à cette époque, les femmes pouvaient déjà y circuler librement.

Les quatre autres ports ouverts aux Européens étaient Shanghai, Amoy (Xiamen), Ning-po (Ningbo) et Fou-tcheou (Fuzhou). Âgée de trente-deux ans, Catherine MacLeod de Bourboulon vécut à Shanghai en 1859. Écossaise de naissance, elle avait épousé un diplomate français, qui resta en poste en Chine de 1859 à 1862 afin de défendre les intérêts de la France lors des négociations du traité de Tien-tsin. Entraînée dans la révolution de Taipeh, la Chine connut la famine, le massacre et la torture, et, des fenêtres de son appartement, Mme de Bourboulon pouvait assister à ce spectacle. En novembre 1860, son mari et elle partirent pour Tien-tsin, intégrant la légation française récemment créée dans cette ville.

En mars 1861, ils s'installèrent à Pékin (Beijing), où ils furent les témoins d'autres atrocités. Des extraits du journal de Catherine de Bourboulon furent publiés dans *Tour du monde* (1864-1865), illustrés d'images sinistres de décapitation et de corps aux flancs disséqués, ainsi que de scènes de la vie quotidienne, preuve qu'un semblant de normalité persistait même durant la révolution. La première partie de son récit aborde la vie à Shanghai, et la seconde moitié évoque sa traversée de Pékin à Moscou.

Le camp des Bourboulon
à Homoutch.
Émile Bayard, Tour du monde 11,
1865, 233.

En dépit des souffrances que lui infligeait une maladie non identifiée, Catherine de Bourboulon et son époux décidèrent de regagner Paris en 1862, mais par la terre, ayant effectué le trajet par mer à cinq reprises. Mme de Baluseck, l'épouse du ministre russe, était déjà venue de Moscou par la route, et elle y retournerait en leur compagnie. Leur groupe comprenait également l'ambassadeur de Grande-Bretagne, sir Frederick Bruce, qui ferait demi-tour avant la frontière. Hormis deux caravanes de provisions, dépêchées en avant-garde et chargées de denrées aussi essentielles que des bouteilles de champagne, il y avait là une dizaine de voitures légères, deux palanquins (un pour Mme de Bourboulon et l'autre pour ses chiots), des chevaux, des mulets, des chameaux, des domestiques (sir Bruce amena avec lui son maître d'hôtel personnel), des guides, des hommes d'escorte, un interprète et un médecin. Muni de l'autorisation de traverser la frontière chinoise, l'équipage se mit en route au mois de mai, pour un périple de seize semaines et d'environ 12 000 kilomètres.

Leur route les conduisit en direction du nord-ouest et de la Grande Muraille, par le désert de Gobi vers Urga (Oulan Bator), Verkhneudkinsk (Oulan-Ude) et Irkoutsk, puis en direction de l'ouest vers Krasnoïarsk, Omsk, Ekaterinbourg (Sverdlovsk) et Moscou, à travers les montagnes et les déserts, et les amena à découvrir quantité de temples et de tombeaux. Des foules immenses apparaissaient sur leur passage.

Au début, les voyageurs descendirent dans des auberges. Toutefois, au fur et à mesure de leur progression, ils préférèrent camper dans des tentes construites à leur intention. Après une nuit pénible passée dans une auberge crasseuse et nauséabonde, Mme de Bourboulon écrivit que les tentes valaient «mille fois mieux». En effet, leurs tentes mesuraient environ cinq mètres de diamètre et étaient somptueusement meublées de portes en bois, de tentures en soie et de tapis[4].

Mais ils furent souvent pris dans des tempêtes de poussière, des véhicules se fracassèrent et les secousses permanentes, tant à cheval qu'en palanquin, soumirent Mme de Bourboulon à une douloureuse épreuve. «Il n'y a qu'à force d'énergie, écrit-elle, que je supporte la fatigue de chaque jour; si je me laisse aller au découragement, comment pourrai-je gagner la frontière de Sibérie, distante encore de deux cents lieues? Ce doit être bien triste d'être gravement malade dans ces déserts.» Cela dit, sa petite troupe et elle furent probablement les premiers à jouer au whist dans le désert de Gobi[5].

Durant le trajet de Sibérie à Ekaterinbourg, la santé de Mme de Bourboulon s'améliora. Le reste du voyage, de Moscou à Paris, se fit en vapeur et en train. Catherine MacLeod de Bourboulon mourut trois ans plus tard. Dans son *Manuel pour les voyageurs en Russie, Pologne et Finlande*, Murray remarquait que «beaucoup de voyageurs des deux sexes ont déjà effectué ce voyage par voie de terre […] et ont signalé avec quelle facilité cela peut s'accomplir, nonobstant même une totale ignorance de la langue russe». Il est alors suggéré de prévoir une cinquantaine de jours pour rallier Pékin depuis Londres[6].

Croquis d'Isabella Bird par elle-même, en manteau japonais de paille, contre la pluie.
Bird, 1880, vol. 1, 346.

Les longs voyages d'Isabella Bird en Asie se déroulèrent le plus souvent avec un seul interprète et quelquefois avec des porteurs qui lui tenaient lieu de compagnie. C'est ainsi qu'elle fit le tour du Japon et de la Corée, qu'elle remonta le Yangtze en bateau et tenta de gagner le Tibet.

Elle arriva au Japon après avoir observé une pause de quatre années. En 1874, après son périple jusqu'aux îles Sandwich et aux États-Unis, elle était rentrée chez elle, auprès de sa sœur Henrietta, et elle avait renoué avec sa vie de malade et d'invalide. En 1878, elle reçut une demande en mariage de la part d'un vieil ami, le docteur John Bishop qui, comme Isabella et Henrietta, était chroniquement souffrant. Plutôt que d'envisager pareil avenir, elle partit pour le Japon, une fois encore

pour raisons de «santé», en commençant par l'archipel
nippon et en terminant par la Malaisie. Tant chez elle
qu'au Japon, on lui déconseilla cette entreprise. Bird
note : «Comme jamais dame anglaise n'a voyagé à l'intérieur du pays, mon projet suscite un intérêt très amical
[…] et je reçois quantité d'avertissements et de conseils
dissuasifs, mais fort peu d'encouragements[7]. »

Elle effectua un voyage de sept mois dans l'intérieur des terres et dans la région de Hezo (Hokkaido),
accompagnée par son jeune interprète, Ido, et munie
d'un sauf-conduit qui lui permettait de voyager sans
restriction aucune vers le nord. Elle se déplaça essentiellement à cheval, durant une saison des pluies sans
précédent, empruntant des chemins boueux, traversant de minus-
cules villages et s'abritant dans de misérables huttes de nomades, où
elle découvrit que l'intimité n'était pas un concept universel lorsque
des villageois poussés par la curiosité taillèrent des judas dans les
shoji, les panneaux qui lui tenaient lieu de cloisons. Ses *Sentiers non
battus au Japon* (1880) est un ouvrage de fond sur la psychologie de
la survie, où les auteurs actuels de «voyages catastrophes» pourraient
puiser quantité de leçons.

La veille de Noël 1878, Bird était en route pour Hong Kong à
bord de la *Volga*, «un misérable vapeur […] sans rien pour s'asseoir,
à part les bancs de la table où se prenaient les repas dans le salon
lugubre. Le maître du bord, un homme digne, pour ce que j'ai pu en
juger, était goth, vandale, hun, wisigoth, tout en un[8]». La nuit du
réveillon de Nouvel An, elle était en route pour Canton. Le SS *Kin
Kiang* emportait deux Européens (dont Bird) et 1 950 Chinois. Isabella
Bird passa dix jours à Canton, visitant librement les murailles, les

*Une femme européenne
transportée
en palanquin
dans les rues de Shanghai.*
E. Grandsire, *L'Illustration*,
13 octobre 1860, 261.

EN FOND :

Une karuma, *calèche
à bras qu'Isabella Bird
utilisa pour circuler
dans Tokyo.*
Bird, 1880, vol. 1, 85.

rues étroites et animées, les hôpitaux, la ville flottante, et même la prison surpeuplée de Naam-Hoi, d'une saleté indescriptible, où les infortunés détenus étaient entravés de lourdes chaînes, et l'air noyé de fumées d'opium.

Elle fut bouleversée par cette atmosphère de cruauté et de vice et par le site même des exécutions, «un cloaque sanglant[9]». De Canton, elle retourna à Hong Kong, puis se rendit en Malaisie.

À la mort de Henrietta, en 1880, Isabella Bird épousa le docteur Bishop et limita ses voyages aux stations thermales du continent. Marianne North reprit une anecdote qui circulait à propos d'Isabella Bird en 1881: «Quand on lui demanda si elle n'aurait pas envie de partir en Nouvelle-Guinée, elle répondit: "Oh oui, mais maintenant je suis mariée, et ce n'est pas le genre d'endroit où l'on peut emmener un homme!"[10]» Ils vécurent tous les deux ensemble jusqu'à la mort de Bishop, en 1886. Trois ans plus tard, elle était en partance pour le Cachemire et la frontière tibétaine, où elle parvint à rallier la bourgade de Leh, dans ce que l'on appelait le Petit Tibet (le Balistan, également connu sous le nom de Ladakh). Elle regagna son pays par la Perse.

Entre 1894 et 1897, Isabella Bird visita la Corée et la Chine, et si elle fut déçue par la Corée, elle n'en tira pas moins la matière de deux volumes, *La Corée et ses voisins* (1898). La découverte de la Chine et sa seconde tentative pour atteindre le Tibet furent bien plus ardues. L'hostilité à l'égard des voyageurs était à son comble. Elle se vêtit d'une robe chinoise modifiée, ce qui lui permit d'éviter les tenues européennes trop étriquées. Elle prit aussi quantité de photographies, développant ses films dans des chambres noires de fortune et utilisant l'eau du Yangtze comme bain de rinçage de ses clichés. Elle navigua à bord de péniches chargées des parfums de l'opium que fumaient les bateliers ou se fit porter dans une chaise sur des chemins de terre. Même si son goût du voyage ne diminuait pas, dans le livre qu'elle tira de cette équipée chinoise, *La Vallée du Yangtze et au-delà* (1899), elle avait perdu un peu de son état d'esprit d'antan. Elle avait soixante-trois ans, sa santé se dégradait : elle souffrait de goutte rhumatisante, d'épuisement, d'une infection pulmonaire et de dégénérescence cardiaque[11].

En 1901, elle effectua son ultime parcours, six mois au Maroc, à cheval. En 1902, peu de temps après qu'on lui eut diagnostiqué une tumeur et une affection cardiaque, elle se prépara à retourner en Chine. Ce voyage-là, elle ne devait jamais l'accomplir : Isabella Bird mourut le 7 octobre 1904.

Un certain nombre d'Européennes tentèrent de rallier le Tibet. En 1860, Charlotte Canning, vice-reine d'Inde, fit le voyage sur la frontière Inde-Tibet, comme Constance Gordon Cumming dans les années 1870 et Marie de Ujfalvy-Bourbon en 1883. Nina Mazuchelli, au milieu des années 1870, Mmes F. D. Bridges et Bird, respectivement à la fin des années 1870 et en 1889, atteignirent Leh, dans le Petit Tibet.

En 1892, la missionnaire anglaise Annie Royle Taylor fut la première Européenne à pénétrer au Tibet, et à obtenir l'autorisation d'y vivre. Le voyageur William Carey rencontra Taylor pour la première fois en juillet 1899, dans sa «boutique» du bourg de Yatung (Yadong), au nord de Darjeeling. Il était parti à sa recherche dans l'espoir qu'elle puisse lui apporter quelque information sur les coutumes tibétaines pour étoffer le livre qu'il était en train d'écrire. C'est lors de cette visite qu'elle lui soumit un aperçu de son journal intime, un manuscrit quasi illisible. Carey partit effectuer ses propres voyages, mais il resta intrigué par ce journal et lui demanda ensuite l'autorisation de le transcrire[13].

Il découvrit l'histoire d'une femme dont la foi était si profonde qu'elle risqua sa vie et celle de ses guides dans une mission vers Lhassa, à seule fin d'y répandre la parole de Dieu. Elle avait fait partie de la

À GAUCHE :
Annie Taylor habillée pour
son expédition tibétaine.
À DROITE :
Pontso, Annie Taylor
et la maîtresse anonyme
de Pontso, en train
de boire le thé.
Carey, en regard des p. 198 et 242.

Mission chinoise de l'intérieur depuis 1884 et, après plusieurs années passées près de la frontière tibétaine, elle songeait à préparer son entrée dans ce pays[14].

En septembre 1892, elle partit de la ville frontière de Tau-chau★ en compagnie de ses serviteurs : Pontso, un Tibétain, qui l'avait suivie en Chine depuis l'Inde, et sa maîtresse ; Leucotze et Nogbey, deux Chinois, Noga, un guide également chinois, et Erminie, son épouse tibétaine. Ils furent plongés dans l'engourdissement d'un hiver glacial. Et ils eurent beau se joindre à une caravane de deux cents Mongols, des brigands les délestèrent de leurs vêtements et de leur couche. Ils furent chanceux de ne pas s'être fait tuer. Le groupe progressa en titubant dans la neige et la tempête, et ne s'arrêta que devant le fleuve Jaune (Huang He) en crue, qui leur interdisait toute traversée. Pour couronner le tout, Noga se mit à battre sa femme et menaça de livrer Taylor aux autorités tibétaines.

★ Tau-chau, ou Tei-chu, ou bien Tai-chu, ou encore Tao-chow, serait peut-être la ville moderne de Luqu.

Par la suite, ils franchirent la rivière sur des peaux d'animaux gonflées. Au mois d'octobre, l'estomac de Taylor s'était rebellé contre la nourriture tibétaine, elle tomba malade à cause de la réverbération du soleil sur la neige, et Leucotze mourut. Un mois plus tard, Noga menaça de la tuer. À ses prières, Annie Taylor adjoignit le vœu fervent qu'il se contente de partir, ce que Noga fit à la mi-décembre. Il la dénonça et, le 4 janvier 1893, elle fut arrêtée sur l'accusation d'espionnage. Acheminée sous escorte jusqu'à la ville de Nag-chu-ka (Nagqu), à quelques jours de marche de Lhassa, elle fut expulsée du pays sans autre forme de procès. Les voyageurs épuisés repartirent vers l'est et la ville frontière de Ta-Chien-lu (Kangding), dans la province du Sichuan. Du récit de son voyage, elle fit un pamphlet – texte assez décevant, d'après Carey – intitulé *L'Origine de la mission pionnière au Tibet* (vers 1894). D'autres voyageuses qui espéraient atteindre Lhassa suivirent ses traces.

L'une de ces ambitieuses, Susie Carson Rijnhart, médecin originaire de l'Ontario, écrivit *Avec les Tibétains, au temple et sous la tente* (1901). Son mari, Petrus Rijnhart, missionnaire hollandais, et elle se rendirent en Chine à l'automne 1894 pour mettre en place un dispensaire et une mission chrétienne à Lusar, près de la frontière tibétaine. Depuis Lusar, ils allèrent à Tankar (Huangyuan), non loin de la lamaserie de Kumbum[15].

Peu de temps après leur arrivée, ils furent les témoins d'une sanglante rébellion musulmane. Ils eurent le privilège de visiter le sanctuaire à l'intérieur de la lamaserie, et le savoir-faire médical de Susie, d'emblée très sollicitée durant ces violents combats, se révéla vite indispensable. Le 30 juin 1897, leur fils Charles vint au monde. Moins d'un an plus tard, le couple quittait Lhassa.

Ils mirent sur pied une caravane avec trois hommes, parmi lesquels Rahmin, un guide ladakh qui avait travaillé pour le capitaine Wallby, un explorateur, ainsi que cinq animaux de selle et douze bêtes de somme, et suffisamment de nourriture pour au moins deux ans. Ils partirent à la mi-mai 1898.

Ils traversèrent la plaine du Tsaidam par beau temps, mais lors de l'ascension des montagnes de Kunlun Shan, la neige se mit à tomber, et leur progression en fut ralentie. Puis ce fut le désastre. Deux de leurs guides décampèrent, emportant une partie de leurs provisions,

et des bandits leur volèrent cinq bêtes. Puis Charles mourut subitement. Ils l'ensevelirent dans la douleur, mais poursuivirent leur chemin.

Finalement, ils arrivèrent à Nagqu, non loin de l'endroit où l'on avait refoulé Annie Taylor, et reçurent à leur tour l'interdiction de continuer. Rahmin, qui n'avait entrepris ce voyage avec eux que pour regagner son foyer, les abandonna. Les autorités tibétaines leur affectèrent une escorte qui devait les raccompagner à Ta-Chien-lu, mais quelques jours après leur départ ils furent pris dans une embuscade tendue par des bandits. Leurs guides prirent la fuite. Abandonnés avec un monceau de bagages, sans une seule bête pour s'en charger, sans guides pour les conduire et sous la menace d'un retour probable des bandits, les Rijnhart abandonnèrent la plus grande partie de leur équipement et poursuivirent péniblement leur progression à pied. Peu de temps après, ils arrivèrent à portée de voix d'un campement, situé sur l'autre rive de la Tsa Chu (Za Qu), une rivière traversée de forts courants. Ils se mirent d'accord pour que Petrus tente de gagner l'autre rive afin d'aller chercher de l'aide. Il entra dans l'eau, revint vers le bord et cria à Susie quelque chose qu'elle ne parvint pas entendre, puis il longea le rivage jusqu'à ce qu'elle le perde de vue. Il ne reparut jamais. Seule et terrorisée, Susie attendit plusieurs jours, puis elle parvint à faire signe aux Tibétains du camp, pour qu'ils l'aident à traverser la rivière. Là-bas, ses recherches furent vaines. Personne n'avait vu son mari. Elle engagea deux guides peu dignes de confiance, en leur promettant son télescope et en prenant soin de leur laisser entrevoir son revolver, afin de les tenir en respect jusqu'à son arrivée à une petite lamaserie, où un marchand chinois lui obtint un sauf-conduit et l'assurance de pouvoir franchir la frontière en toute sécurité.

Ta-Chien-lu dans les années 1880.
La Rivière au sable d'or, par le capitaine William Gill, Londres, John Murray, 1883, 169.

Deux mois après la disparition de Petrus, après avoir couché à la dure, usé ses bottes jusqu'à la corde, après avoir été menacée par des voleurs ivres et presque morte de faim, elle arriva à Ta-Chien-lu et fut déposée devant la maison d'un missionnaire, M. Turner. À son entrée, deux hommes se tenaient dans la cour. « Comme ils avaient l'air impeccable dans leurs costumes chinois, se rappela-t-elle, et comme leurs visages étaient pâles ! Je savais que je n'étais pas très propre, j'avais bien conscience de mes haillons et de ma saleté, et je suis restée ainsi, en leur présence, attendant que l'on m'adresse la parole. Mais non, il fallait que je parle la première. J'ai donc dit, en anglais : "Suis-je chez M. Turner ?", et M. Moyes me répondit : "Oui" [16]. »

Elle venait de rencontrer son second mari, le docteur James Moyes, mais ils ne se marièrent pas avant 1905. Elle attendit vainement six mois de recevoir des nouvelles de Petrus, puis elle retourna au Canada. Elle revint à Ta-Chien-lu en 1902 et reprit ses activités de médecin et de missionnaire. En 1908, du fait de sa santé déclinante, Moyes et elle rentrèrent au Canada, où elle mourut.

Le Tibet continua d'attirer les missionnaires et les explorateurs, afin de rallier Lhassa. Même si leurs voyages se déroulèrent au XXᵉ siècle, il n'est pas inutile de mentionner la Française Alexandra David-Néel, auteur du *Voyage d'une Parisienne à Lhassa* (1927). Première Européenne à pénétrer dans la ville interdite, elle devint reporter en Inde, interviewa le dalaï-lama et dévoua sa vie à la cause tibétaine[17].

Amérique du Nord
Un continent «trollopisé»

Nouvelles colonies de parvenus, le Canada et les États-Unis étaient remplis d'hommes seuls qui avaient de l'argent à ne savoir qu'en faire. L'auteur anonyme de *Cariboo* (1862), qui évoque les champs aurifères de Colombie britannique, pressait les femmes de se présenter là-bas, non pas comme institutrices ou gouvernantes, mais comme épouses. «Je n'ai jamais vu de mineurs aussi désireux de se marier que ceux de la Colombie britannique», affirmait-il[1]. À l'époque, on comptait là-bas deux cents hommes pour une femme. Ce genre de publicité persuada de nombreuses Européennes d'entreprendre ce voyage long et fastidieux vers l'Amérique du Nord.

CANADA

Pour Anna Jameson, c'était une autre histoire : elle se rendit au Canada en 1836 pour y perdre son mari. Lui, c'était Robert Jameson, le procureur général du Haut-Canada (l'actuel Ontario). Le couple avait déjà vécu séparé, mais par l'océan Atlantique. Son séjour de dix mois déboucha cette fois sur une séparation officielle et permit à Anna de réaliser son livre *Études hivernales et Randonnées estivales au Canada* (1838). Elle y décrit son arrivée peu engageante à Toronto, en plein mois de décembre :

> À quoi ressemble Toronto l'été, je ne peux rien en dire ; on raconte que l'endroit est joli. Pour l'heure, son apparence à mes yeux d'étrangère se résume assez étrangement à un mélange d'hostilité implacable et de mélancolie. Cette petite bourgade bâtie à la diable, en plaine, au fond d'une baie gelée, avec une église tout à fait laide [...], quelques bureaux du gouvernement, construits [...] dans un style du plus mauvais goût et le plus vulgaire qui se puisse imaginer ; trois pieds de neige partout [...] ; je ne m'attendais certes pas à grand-chose, mais je n'étais pas prête à cela. Mais peut-être rien n'aurait-il pu m'y préparer[2].

Terrée dans une maison de Toronto, elle vit son encre geler lorsqu'elle entama la traduction de l'allemand

Fanny Trollope.
Dessin de Miss L. Adams, gravure de W. Holl, Les Usages domestiques des Américains (édition de 1845), frontispice.

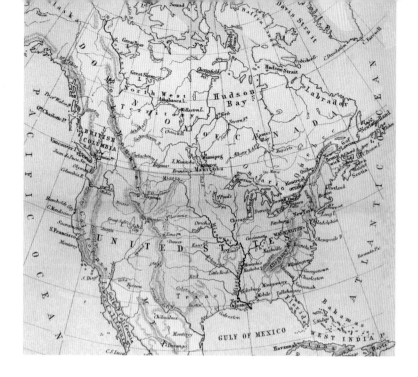

L'Amérique du Nord.
Atlas pratique Philip's, vers 1897.

d'une œuvre de Goethe. Elle se divertit en songeant à ses voyages passés en Autriche et en Italie. Elle restait atterrée de son propre ennui : «Pour moi, c'est là quelque chose de nouveau, car je ne m'étais encore jamais ennuyée à mort – sauf dans la fiction★.»

Puis, la neige finit par fondre, et Anna Jameson attendit deux mois pour se lancer dans une exploration. Elle voyagea en voiture, conservant son humour et son entrain, et tira le plus grand profit d'un bref été. D'abord elle se rendit sur les chutes du Niagara. Elle consacra plusieurs pages à exprimer son inaptitude à en décrire la beauté sublime, puis elle se dirigea vers Detroit, *via* Buffalo, Hamilton, Paris, Woodstock, Londres et Chatham[4].

Elle quitta Detroit à bord du vapeur *Jefferson*, dans l'espoir de trouver un chenal d'accès à Sault Sainte-Marie. Le vapeur la déposa au large de l'île de Mackinaw (Mackinac), où elle découvrit le manque cruel de logement. Malgré tout, elle avait la certitude que tout allait se passer au mieux : «Avec un sentiment d'émerveillement fervent, mais sans impatience, pareil à celui d'un enfant – sans regarder ni devant moi, ni derrière –, je ne tardai pas à m'abandonner au présent, dans toute sa délicieuse nouveauté, et je m'en remis à l'avenir pour qu'il œuvre au mieux.» Et c'est ce qui se produisit : on lui attribua une chambre dans la maison d'un fonctionnaire en poste[5].

★ Jameson intitula son roman de voyage *Le Journal d'une ennuyée* (1826).

L'un de ses objectifs était de rencontrer les natifs, et ce souhait fut amplement satisfait, tant à Mackinaw que plus tard à Manitoulin. L'essentiel du dernier tiers de son récit décrit les Chippewa et leurs légendes. Elle fut impressionnée par le statut des femmes, découragée par leur penchant pour la boisson et, en une occasion au moins, choquée par l'état naturel des danseurs lors des cérémonies rituelles :

> Lorsque ces silhouettes sauvages et plus qu'à moitié dénudées firent leur apparition, bondissant en tous sens, poussant des cris et des hurlements perçants, frappant sur des tambourins, le visage et le corps hideusement peints, et brandissant des massues, des tomahawks et des javelots, ce fut comme une mascarade de démons faisant irruption au paradis ! […] De leur mode d'habillement, je ne dirai rien − car, il faut sagement le reconnaître, que peut-on dire du rien : si ce n'est, si l'on admet avec un de nos grands philosophes modernes★, que «tous les symboles soient vêtements», mes amis indiens étaient aussi peu symboliques qu'on peut oser l'imaginer : *passons par là (sic)* [6].

Une semaine plus tard, elle quitta Mackinaw en canoë, avec cinq voyageurs à la pagaie. Durant les deux jours de voyage jusqu'à Sault Sainte-Marie, seuls les essaims de moustiques vinrent gâcher ses impressions. La première semaine du mois d'août, elle revint à Toronto, de nouveau en canoë, accompagnée de vingt et un hommes d'équipage, qu'elle appelait ses «cavaliers». Ils respectaient son intimité et, un matin, lui préparèrent un petit déjeuner complet avec bouquet de fleurs[7]. D'après elle, il n'existait pas de destination plus indiquée que le Canada pour ces voyageurs fatigués du monde qui avaient épuisé les charmes de l'Europe :

Anna Jameson, un peu plus âgée qu'à l'époque de son voyage dans les étendues sauvages et désolées du Canada, en 1837.
Duykinck, vol. 2, en regard de la p. 12.

> Je m'étonne que certains de ces messieurs de la bonne société que je fréquentais à Londres, et qui auraient apparemment donné un empire pour connaître de nouveaux plaisirs ou de nouvelles sensations, ne viennent pas par ici. S'il y a parmi eux des gourmets, qu'ils viennent

---

★ Probablement Ralph Waldo Emerson (1803-1882) : «Au moment où notre discours s'élève au-dessus des faits ordinaires, quand il s'enflamme avec la passion ou s'exalte dans la pensée, il se pare d'images» (*Nature*). N.d.T.

« La descente des rapides »,
vers 1879, près de
Lachine, à Québec, par
Frances Anne Hopkins.
Huile sur toile. Frances Anne et son époux
sont assis au centre du canoë. Avec
l'aimable autorisation des Archives
nationales du Canada
(1989-401-2X; C-2774).

donc goûter de la corégone et de la queue de castor. S'il y a parmi eux des sportifs, c'est ici un véritable paradis pour la chasse à l'ours, au cerf, à la loutre – et des oiseaux sauvages par milliers, et des poissons en quantité. Si ce sont des amoureux du pittoresque, des contemplatifs, des *blasés* (*sic*) de l'Italie, des laissés-pour-compte de la Suisse, qu'ils viennent par ici et ils y trouveront la vraie pierre philosophale – ou plutôt le véritable élixir de longue vie – la nouveauté[8] !

Anne Jameson rentra en Angleterre, où elle acquit la réputation d'une historienne d'art respectée. Parmi ses autres livres de voyages, on trouve des *Carnets du Canada et Randonnées au milieu des Hommes rouges* (1852) et *Camper au Colorado avec des suggestions pour les chercheurs d'or, les touristes et les invalides* (1879).

Frances Anne Hopkins partagea le ravissement d'Anne Jameson pour les étendues sauvages du Canada. Elle s'y rendit depuis l'Angleterre, avec son mari – secrétaire particulier du gouverneur de la Hudson Bay Company –, et voyagea avec lui, surtout en canoë, pendant près de dix ans. Elle dessina des croquis et peignit des paysages et des scènes de la vie quotidienne du camp. Elle rentra en Angleterre en 1870.

Un certain nombre de femmes émigrèrent au Canada. Les sœurs Susanna Moodie et Catherine Parr Traill furent deux pionnières

célèbres. Isabel Gunn et Letitia Hargrave, deux Écossaises, comptèrent parmi ces pionnières, même si elles étaient moins connues que ces dernières. Toutes deux étaient venues au Canada par l'intermédiaire des comptoirs de la Hudson Bay Company.

Pendant des années, la Hudson Bay Company n'embaucha que des hommes, une restriction qu'Isabel Gunn prit soin de contourner en se présentant sous le nom de John Fubbister. À l'été 1806, on l'envoya à Fort Albany où, durant un an, elle s'acquitta de ses missions de façon fort crédible, avant d'être affectée à Pembina, sur la Red River. Durant l'hiver 1807, à la surprise générale, John Fubbister mit au monde un nouveau-né. John devint Mary, endossa des vêtements féminins et retourna à Fort Albany, où elle continua de travailler jusqu'à ce que la compagnie, qui proscrivait l'emploi de «femmes blanches», la renvoie chez elle contre son gré, en 1809[9].

Les deux vaisseaux de la Hudson Bay Company, le Prince Albert (À GAUCHE) et le Prince Rupert (À DROITE). Ces navires, qui embarquaient des passagers, du courrier, des approvisionnements et des fourrures, constituaient un lien vital pour les résidents des fabriques.
ILN, 21 juin 1845, 388.

Letitia Mactavish Hargrave avait été pêchée, pour ainsi dire, par un employé solitaire à York Factory, une bourgade située sur les rives de la lointaine Hudson Bay, où l'on pratiquait le négoce de la fourrure. James Hargrave lui fit la cour par correspondance, puis il vint la chercher en 1840. Guère préparée pour ce voyage depuis sa ville natale d'Argyllshire, en Écosse, jusqu'à Londres, sans compter la traversée de l'Atlantique qu'elle dut effectuer seule, elle souffrit de maux de gorge, de migraines et de troubles gastriques. Ses lettres enjouées dissimulaient mal ses malheurs.

Sa première réaction, dès son arrivée, après une traversée à bord du *Prince Rupert*, fut de se déclarer « malade ». Étonnamment, elle s'adapta bien à sa nouvelle terre, et ses lettres devinrent brillantes et pleines d'informations. Elle y décrit les différents niveaux hiérarchiques au sein de la compagnie et de la société locale, la souplesse des mariages entre hommes blancs et femmes indigènes (et la progéniture qui en résulte) et, naturellement, l'état de santé de la population. Dans une missive à son mari, qui était temporairement absent, elle écrit qu'une de leurs invitées, une demoiselle Sinclair, avait parlé dans son sommeil, évoquant son viol : « Elle termina avec beaucoup de philosophie, pour relever que c'était une chose très courante, que sa sœur et Mlle MacKenzie avaient connu une infortune similaire. Je n'aime pas avoir à lui dire qu'elle parle dans son sommeil, surtout qu'elle se montre si singulière dans le choix de ses sujets[10]. »

Les Hargrave eurent cinq enfants, dont un mourut peu de temps après sa naissance. Sa famille et elle se rendirent en Angleterre, en 1846 et en 1851, pour organiser la scolarité de deux de leurs enfants. Quand elle rentra de son deuxième séjour, ce fut pour s'établir dans une nouvelle maison, à Sault Sainte-Marie. Deux ans plus tard, elle mourut du choléra, à l'âge de quarante et un ans.

Il est peu probable qu'Ida Pfeiffer eût jamais été dans de bonnes dispositions à l'égard du Canada, étant donné sa lourde déception, à son arrivée à Montréal et Québec, en 1854. Elle attribua l'attitude des autochtones, surtout des aubergistes, à son statut de femme seule. Après s'être vue refuser l'accès d'un hôtel de Montréal, elle parvint à obtenir une chambre dans un autre établissement, mais en montrant la couleur de son argent. Dans la rue, ses demandes de renseignements étaient accueillies d'un « j'en sais rien » peu avenant. « Assurément, écrit-elle, je n'ai guère eu le sentiment que l'on puisse ranger la courtoisie envers les étrangers parmi les vertus des Canadiens[11]. »

Isabella Bird, qui se trouvait au Canada la même année qu'Ida Pfeiffer, en partit avec une opinion plus favorable, car elle prit le temps d'explorer le pays. Elle arriva par Halifax et visita la Nouvelle-Écosse, l'île du Prince-Édouard, le Nouveau-Brunswick, l'Ontario et le Québec. On fit tout pour lui faciliter ses contacts ; de plus elle était bien plus jeune que Pfeiffer, puisqu'elle n'avait que vingt-trois ans. C'était aussi sa première grande aventure.

ÉTATS-UNIS

Les États-Unis, civilisés depuis beaucoup plus longtemps, attiraient bien davantage de voyageurs que le Canada. Fanny Trollope, auteur des *Manières domestiques des Américains* (1832), dénonciation virulente des mœurs de l'Amérique du Nord, donna le ton aux écrivains voyageurs des décennies ultérieures. Le livre fut publié au terme d'un séjour de 1827 à 1831, durant lequel elle voyagea beaucoup et s'essaya à diverses entreprises ambitieuses mais infructueuses dans le domaine des affaires, parmi lesquelles un extravagant bazar, à Cincinnati, qui finit par se faire une réputation locale sous le nom de Trollope's Folly[12].

Trollope s'en prit à l'esclavage et ridiculisa ce qu'elle percevait comme la mauvaise éducation américaine. Elle remplit les pages de son livre de détails divertissants, comme sa description des « éboueurs de Cincinnati » – autrement dit, des cochons qui mangeaient les ordures que l'on jetait au milieu de la rue. (Plus de vingt ans après, Isabella Bird, autre témoin de ce système, releva que la ville était aussi connue sous le nom de Porkopolis.) Trollope s'efforça d'être équitable, admirant des sites comme le port de New York, mais à propos des Américains eux-mêmes, elle ne put que conclure : « Pour ce qui est de la population en général, telle qu'on la voit en ville et à la campagne, chez les riches comme chez les pauvres, dans les États esclavagistes comme dans les États affranchis […], je ne l'aime pas. Je n'aime pas leurs principes. Je n'aime pas leurs manières, je n'apprécie guère leurs opinions[13]. »

Une vue de Cincinnati. De loin, la ville n'a pas l'air aussi épouvantable que Fanny Trollope l'a décrite.
ILN, 7 juin 1845, 356.

Elle rentra en Angleterre en 1831, en espérant gagner suffisamment d'argent grâce à l'écriture de ses livres pour rembourser les dettes contractées à la suite de ses mésaventures américaines. Quand les *Manières américaines* atteignirent quatre réimpressions dès la première année et reçurent force publicité sous la forme d'attaques, de caricatures, de gravures et de spectacles d'attractions, il sembla que le succès était au rendez-vous. Mais en dépit de cette réussite, elle fut contrainte avec son mari Tom de filer sur le continent en 1834 pour échapper à ses créanciers. C'est là qu'elle écrivit plusieurs autres livres de voyage, notamment *La Belgique et l'Allemagne occidentale en 1833*, *Paris et les Parisiens en 1835*, *Vienne et les Autrichiens* et *Tour en Italie*. Elle fut aussi, comme son fils Anthony, une romancière à succès. Elle mourut dans l'aisance à Florence, en octobre 1863, à l'âge de quatre-vingt-trois ans.

Au bord de la faillite avant son aventure américaine, Trollope s'était laissé convaincre de partir pour les États-Unis par Fanny Wright, une partisane des réformes sociales et une abolitionniste fervente d'origine écossaise. Wright, qui était aussi une riche héritière, aspirait à devenir dramaturge et, petite fille, elle avait considéré l'Amérique comme la Terre promise. Avec sa sœur Camilla, elle arriva à New York à bord de l'*Amity*, en août 1818, et elle y resta jusqu'en 1820. *Panoramas, Société et Manières en Amérique [...] par une Anglaise* (1821) fut le fruit de ses voyages, observations enthousiastes d'une américanophile extasiée, tempérées par des critiques sur l'esclavage, la mode et les comportements féminins. À l'inverse du livre de Trollope, le sien fut bien reçu aux États-Unis.

Wright y retourna en 1824. Cette fois, sa sœur et elle accompagnaient le marquis de Lafayette, auquel on les avait présentées. Séducteur notoire, Lafayette, alors âgé de soixante-sept ans, pouvait encore être considéré comme un compagnon de voyage dangereux, et l'aventure qu'elle eut avec lui suscita de méchantes rumeurs.

La conscience sociale de Fanny Wright la conduisit à acheter une terre près de Memphis, dans le Tennessee, qu'elle baptisa Nashoba, en même temps qu'un certain nombre d'esclaves, avec le projet de les préparer à la liberté. Elle y travailla elle-même jusqu'à ce que la malaria et une insolation la contraignent de renoncer. Après une visite en France en 1827, elle retourna à Nashoba avec Trollope, mais retrouva sa propriété en proie au chaos, et sa sœur Camilla mariée. Fanny Trollope s'éclipsa aussi vite qu'elle le put. Par la suite, Wright affranchit ses esclaves et les emmena en Haïti. Ensuite, elle retourna à ses conférences en prônant la défense de l'égalité des sexes et le contrôle des naissances, ce qui amena Trollope à l'évoquer comme «la partisane d'opinions qui font frémir des millions de gens[14]».

En 1831, quelques mois après la mort de sa sœur, Fanny Wright épousa Phiquepal d'Arusmont, un théoricien français de l'éducation, qui avait été son compagnon de voyage durant plusieurs années et dont elle eut une fille. Après quoi, on sait peu de chose sur sa vie, si ce n'est qu'elle vécut entre les États-Unis et l'Europe et que d'Arusmont était un scélérat qui vola de l'argent tant à sa femme qu'à sa fille[15].

Une autre abolitionniste, Harriet Martineau, vint aux États-Unis en août 1834. À l'approche de New York, le pilote du port vint accoster au flanc du navire et demanda au capitaine si une abolitionniste bien connue se trouvait à bord. Il lui fut répondu que non, aussi le pilote s'enquit-il ensuite discrètement de Harriet Martineau, et si l'on pensait qu'elle allait provoquer du remue-ménage, car de violentes émeutes antiabolitionnistes avaient récemment eu lieu à New York. Un passager lui assura que si Mme Martineau était contre l'esclavage «en principe», elle venait aux États-Unis «pour apprendre et non pour enseigner». Après quoi, Harriet Martineau apparut dans un article de journal annonçant son arrivée, journal qui exhortait «ses lecteurs à ne pas mâcher de tabac ni manifester leur contentement en sa présence» s'ils l'apercevaient[16].

Le but de Harriet Martineau, en tant que journaliste et défenseur des réformes sociales, était d'informer sur les conditions de vie aux États-Unis. Comme on connaissait déjà ses écrits et ses opinions, elle fut accueillie avec suspicion. Mais ses bagages franchirent les douanes sans même être ouverts ; elle reçut aussi des invitations enviables et des témoignages remarquables d'une hospitalité débordante. Manifestement, avec elle comme avec sa compagne de voyage anonyme, on allait prendre des gants, et elle veilla en retour à s'acquitter amplement de toutes ces faveurs.

Harriet Martineau traversa les États-Unis avec un sens consommé de l'équilibre. À chaque propos désobligeant qu'elle publiait sur les Américains (ces hommes qui crachaient de façon répugnante et ces femmes qui se balançaient dans leurs fauteuils jusqu'à vous donner le tournis), elle trouvait un motif de louanges ou compensait par quelques propos insultants visant les Anglais. (À vrai dire, ce sont surtout les visiteurs anglais en Amérique qu'elle accablait de remarques assassines.) Et puis, face à la prospérité américaine, elle avait honte de l'incapacité de l'Angleterre à tirer le Canada de son état d'inculture et de sauvagerie. «Comme il est ridicule que ce

pauvre pays soit notre propriété, écrit-elle, sa pauvreté et son inac-
tivité sans espoir contrastant, pour notre grand déshonneur, avec
l'activité prospère de la rive opposée[18]. »

Comme Fanny Trollope, elle connut l'expérience d'un long
hiver américain, et elle visita Baltimore, Philadelphie et Washington.
Puis, alors qu'elle avait été prévenue de l'état de fureur où ses positions
mettaient les gens du Sud, elle prit la direction de La Nouvelle-
Orléans, en passant par les Carolines du Nord et du Sud, la Géorgie
et l'Alabama. À partir de La Nouvelle-Orléans, elle fit route au nord
vers Cincinnati, qu'elle proclama comme la ville américaine où elle
vivrait le plus volontiers. Cette remarque ressemble à une pique
directement destinée à Fanny Trollope qui, à son départ de cette
cité, en 1830, écrivait : « Je doute qu'il y ait eu un membre de notre
groupe qui n'ait éprouvé une sensation de plaisir en repartant de
cette ville[19]. »

Harriet Martineau voyagea en diligence, admettant que cela lui
causait bien des fatigues. Les haltes étaient d'une brièveté frustrante,
mais elle apprit à en tirer le meilleur parti, parfois en choisissant de
dormir plutôt que de manger. La vitesse à laquelle il fallait se préparer à faire un somme dans une auberge imposait aux dames de se
ruer à l'intérieur avec leur bonnet de nuit, leur savonnette et leurs
serviettes déjà en main, en cherchant impatiemment du regard la
personne qui allait leur montrer leur chambre et leur apporter un
peu d'eau. À mesure que les minutes s'écoulaient, la lenteur des servantes devenait insupportable. Une fois que les dames s'étaient
dévêtues et lavées, elles se précipitaient sur les lits. Ensuite, « à peine
rêvent-elles, et on les comprend, qu'elles sont chez elles, sans aucune
obligation de se lever si elles n'en ont pas envie, un coup de trom-
pette les fait sursauter, elles lèvent la tête, entrevoient un rai de
lumière sous la porte, et une femme noire pointe le
nez pour demander d'une voix traînante qu'on veuille
bien se dépêcher. Depuis l'heure du coucher, il leur
semble qu'il s'est écoulé une semaine, mais elles ne se
sentent aucunement reposées[20] ».

Quand Martineau rencontra un libraire qui se déclara
prêt à publier tout ce qu'elle écrirait sur l'Amérique,
elle se défendit d'avoir aucun projet d'ouvrage. Il lui
soutint qu'elle devait posséder matière à écrire et lui
suggéra de « "trollopiser" un peu » pour rendre le tout
lisible. Elle réussit à produire deux volumes, *Rétrospective sur mes voyages dans l'Ouest* (1838) et *La Société en*

*⤳ Parmi les sentiments les
plus vifs que peut provoquer
un voyage à l'étranger
– de ces sentiments neufs qui
sont un véritable fortifiant de
la vie –, il y a cette surprise
bienvenue de la sympathie
que le voyageur sait dispenser, et de celle qu'il a le
privilège de recevoir.
– Harriet Martineau[17].*

Amérique (1839). En Grande-Bretagne, les deux ouvrages firent l'objet d'une critique dithyrambique, mais aux États-Unis l'enthousiasme fut beaucoup plus modéré. *La Société en Amérique* traitait des questions politiques et sociales et de l'esclavage. *Rétrospective* abordait surtout le voyage, même s'il comportait aussi des chapitres sur la prison, l'esclavage, les muets et les aveugles. Il s'achevait sur un chapitre traitant des cimetières. «Les morts, peut-on espérer, écrit Martineau, pénètrent dans une région inconnue, où ils doivent agir avec des forces nouvelles et avec davantage de sagesse. Le voyageur revigoré a la même ambition[21].»

Emmeline Wortley et sa fille de douze ans, Victoria, furent des visiteuses moins critiques des États-Unis. Emmeline fut néanmoins une observatrice attentive, comme on peut le constater à la lecture de son livre, *Voyages aux États-Unis, etc.* (1851). Victoria publia elle aussi son propre récit. Son *Journal d'une jeune voyageuse en Amérique du Nord et du Sud* (1852) fit probablement d'elle le plus jeune écrivain voyageur.

Emmeline, Victoria et deux femmes de chambre arrivèrent à New York à bord du *Canada* en mai 1849 et explorèrent la côte Est depuis le Niagara jusqu'à La Nouvelle-Orléans, puis le Mexique et le Pérou. Dans sa préface, Emmeline annonçait son intention d'écrire pour ceux qui aiment «les potins de voyage», et le livre est rempli de descriptions de dîners, de conversations et de rencontres inopinées. Pour marquer les circonstances de certaines visites, comme de celle de la Grotte au mammouth, dans le Kentucky, elle écrivit de la poésie, après s'être fait connaître comme poétesse grâce à ses contributions fréquentes au *Blackwood's Magazine*. Durant son séjour à Cambridge, dans le Massachusetts, elle rencontra le naturaliste Louis Agassiz. Ce dernier, Washington Irving, Longfellow et les mormons devinrent des attractions touristiques américaines à l'égal de Lord Byron et de Mme de Staël. Wortley fut aussi présentée à plusieurs femmes voyageuses et admira leur endurance : «Dans l'ensemble, les dames américaines ne voyagent peut-être pas autant que nous, mais quand elles s'y mettent, les confins de la terre n'ont pas l'air de leur faire peur[22].»

Wortley et toutes les autres voyageuses évoquées ici effectuèrent l'excursion obligée des chutes du Niagara. Comme les autres, Martineau s'extasia devant ce spectacle, mais elle avertit son lecteur que «proposer une idée du Niagara en parlant de ses couleurs et de ses dimensions reviendrait à représenter le royaume des Cieux en évoquant des images de jaspe et de topaze».

Washington serait une ville magnifique si elle était bâtie, mais comme elle ne l'est point, je ne peux pas en dire grand-chose.
— Emmeline Wortley[23].

Niagara Falls in Winter.

Son amie Sara Coleridge goûta fort la description qu'elle en fit dans *Rétrospective*, déclarant qu'on en «retire une sensation très vivante et très *cascadante*[24]».

Trollope fit de ces chutes une description plus vigoureuse: «Nous avons passé quatre journées délicieuses, excitantes et fatigantes. Nous nous sommes trempés sous les embruns. Nous nous sommes coupé les pieds sur les rochers. Nous nous sommes brûlé le visage au soleil. Nous avons vu la cataracte d'en bas et nous l'avons vue d'en haut. Nous nous sommes juchés sur tous les promontoires que nous avons pu trouver. Nous avons plongé les doigts dans le flot, à quelques mètres de distance de la chute et de son fracas de tonnerre. En bref, nous nous sommes battus pour emmagasiner le plus de souvenirs possible des chutes du Niagara. Et je crois que ces images resteront gravées dans notre mémoire à jamais[25].»

Bird se hasarda donc à cette incursion derrière les chutes. Elle se changea de pied en cap, pour enfiler une robe de calicot huilée et des caoutchoucs, puis on la conduisit dans la boue jusqu'à un escalier branlant, qu'elle descendit avec beaucoup d'appréhension. Au pied des marches, son guide et elle suivirent un étroit sentier balayé par les rafales de vent. Prise de peur, elle hurla qu'elle voulait faire demi-tour. Le rugissement de l'eau noya ses paroles, mais son guide, qui était noir, lui tendit la main pour l'aider. Bird hésita un instant, mais une fois qu'elle eut saisi cette main, elle s'y tint aussi fermement qu'elle put.

Un certificat reconnaissant que son titulaire a bravé la « Grotte des vents », située au pied des chutes du Niagara. Isabella Bird obtint ce certificat après avoir réussi à passer derrière les chutes.
Tour du monde 3, 1861, 260.

Les chutes du Niagara en hiver.
Carte postale, antérieure à 1904.

Isabella Bird, image tirée d'Une Anglaise au Far-West. Voyage d'une femme aux montagnes Rocheuses, 1910, page de titre. Bird fit ajouter ce dessin aux éditions ultérieures de son livre (publié pour la première fois en 1879) pour faire taire les commentaires de la presse selon lesquels elle portait des vêtements d'homme.

Quand finalement ses appels furent entendus, son guide se contenta de secouer la tête et lui hurla que revenir en arrière serait pire encore. Quand elle eut atteint le bout du sentier, elle songea qu'«il n'y avait pas de quoi se vanter d'avoir accompli la chose[26]».

L'habitude de cracher souleva presque autant de commentaires que les chutes du Niagara. Ida Pfeiffer, qui estimait pouvoir tout supporter, était dégoûtée de voir des gentlemen californiens expectorer en public. Mais ce n'était pas aussi détestable que leur autre manie, «encore plus abominable […], consistant à faire ça avec les doigts, alors même qu'ils disposaient d'un mouchoir de poche». En l'occurrence, Fanny Trollope estima pour sa part que le mot «gentleman» était aussi déplacé qu'immérité. Quant à elle, Isabella Bird resta sidérée du nombre de crachoirs installés dans les salons des hôtels et des bateaux, ce qui n'empêchait pas les planchers d'être constellés de flaques nauséabondes de jus de tabac[27].

En 1873-1874, le deuxième et mémorable voyage d'Isabella Bird en Amérique du Nord la conduisit au Colorado et donna lieu à *Une Anglaise au Far-West* (1879). Elle arriva à San Francisco depuis les îles Sandwich et, dès que cela lui fut possible, prit la direction des montagnes Rocheuses. Elle arrivait d'un paradis luxuriant et chaud, peuplé à parts égales d'hommes et de femmes, pour pénétrer dans ces montagnes froides et reculées, où les femmes, qui étaient plutôt rares, s'y entendaient tout autant que les hommes pour débiter des histoires lestes.

Après plusieurs tentatives, Isabella Bird réussit finalement, montée sur un cheval de trait, à pénétrer dans l'Estes Park (au nord de Boulder), un territoire que personne n'avait encore jamais arpenté ni étudié, et elle fut à la peine, dans un hiver au froid mordant, en tenant le rôle de maîtresse de maison pour deux chasseurs aux maigres provisions, s'engageant également dans une aventure amoureuse avec un trappeur, qui se présentait lui-même comme un

voyou, «Mountain Jim» Nugent. Partout où elle se rendit, elle fut aimablement reçue, avec une hospitalité rudimentaire. À Boulder, elle demanda un cheval à louer et surprit un propos du propriétaire : «Si c'est la dame anglaise qui traverse les montagnes, elle peut avoir un cheval, mais personne d'autre[28]. »

Marianne North, qui s'était rendue dans l'Est en 1871, avait effectué le tour de l'ouest des États-Unis en 1875. Elle fila de Chicago à Salt Lake City, où elle s'arrêta suffisamment longtemps pour serrer la main de Brigham Young, bien à contrecœur. Ensuite elle visita Yosemite, San Francisco, Lake Tahoe et Virginia City, puis, environ six semaines plus tard, elle avait embarqué à bord de l'*Oceanic*, en partance pour le Japon. Elle retourna aux États-Unis en 1881, pour un autre itinéraire tout aussi échevelé.

En Inde, nous avions brièvement croisé Lola Montez, la flamboyante danseuse espagnole, en la personne de la ravissante Eliza James, épouse du lieutenant James et coqueluche du Simla de la saison mondaine 1839. Entre cette période et son arrivée à New York à bord du *Humboldt* en novembre 1851, elle avait réussi à opérer une transformation saisissante.

Eliza avait quitté le lieutenant James et était rentrée en Grande-Bretagne, en s'accrochant fermement aux mille livres de son beau-père.

« Vingt minutes pour déjeuner. » Isabella Bird raconte la bousculade pour trouver de quoi manger lors des brèves haltes dans les gares nord-américaines[29]. Cet inconvénient disparut dès que furent instaurés les services de repas à bord. Graphic, 14 avril 1877, 332.

Elle avait certes l'intention de se procurer un emploi digne et convenable, mais avant même que son navire ne fût à quai, elle s'était casée avec George Lennox. Le duo ne tarda pas à s'installer, dépensant la pension d'Eliza sans compter. Le lieutenant James eut vent de son comportement et engagea une procédure de divorce, qu'il gagna.

Elle partit pour Cadix où elle réapparut en fille d'aristocrate espagnol en exil et veuve d'un rebelle récemment passé par les armes, se présentant sous le nom de Maria Dolores de Porris y Montez – Lola pour les intimes. Elle fit ses débuts de danseuse torride en Angleterre, l'œil bleu et le cheveu noir, d'une espèce encore inconnue sur les scènes britanniques. La presse lui consacra une place considérable, et les généreux bienfaiteurs se mirent à graviter autour d'elle. Toutefois, jamais très loin du scandale, Lola fut dénoncée et l'identité frauduleuse d'Eliza dévoilée. À l'été 1843, elle gagna le continent[30].

À compter de cette période et jusqu'à la fin de ses jours, elle sillonna l'Allemagne, la Pologne, la Russie, l'Allemagne de nouveau, la France, la Belgique, l'Italie, la Suisse, l'Espagne, les États-Unis, l'Australie, avant de regagner les États-Unis, l'Europe et enfin l'Amérique une nouvelle fois. Au cours de tous ces voyages, elle se lia avec des sommités comme Franz Liszt, le diplomate Robert Peel et, surtout, Louis Ier, roi de Bavière[31].

Après son arrivée à Munich en octobre 1846, ayant subjugué le souverain, ses finances furent largement prises en charge. Louis lui versa une pension, qu'elle dilapida (et au-delà) en mobilier et en réceptions. Si personne ne l'avait freinée, elle aurait aisément pu laisser le royaume de Bavière exsangue. En raison de la passion aveugle que lui vouait le monarque, elle accéda non seulement à la citoyenneté bavaroise, mais fut également anoblie, avec le titre de comtesse, décision qui déchira le royaume, poussa des ministres à la démission et, pour un temps, dressa ses sujets contre leur roi bien-aimé.

Confronté à des émeutes, à grand regret Louis la pria de

Le Humboldt, *à bord duquel embarqua* Lola Montez, *fit naufrage en 1853, à l'entrée du port de Halifax. Un article relatant la perte du navire, paru dans* l'Illustrated London News, *le décrivait comme un «beau vapeur de première catégorie».*
J. F. Bland, *ILN*, 31 décembre 1853, 593.

s'en aller et, en février 1848, elle partit en effet pour la Suisse. Lola Montez et le roi continuèrent d'entretenir une correspondance, et elle tenta un retour à Munich, en catimini, déguisée en jeune homme, avec barbe postiche. Quand la nouvelle se répandit, les citoyens se déchaînèrent. Louis fut contraint de s'exiler avec elle, et il abdiqua en faveur de son fils Maximilien II[32].

Ses liaisons romantiques se compliquèrent de plus en plus, à mesure qu'elle jonglait entre Louis et ses autres admirateurs, le tout dans une situation de bigamie (son divorce lui interdisant de se remarier). En 1851, elle remonta sur scène et ses représentations à New York cette année-là attirèrent un immense public. L'un de ces spectacles fit plus de trois mille entrées, mais sur ce total de spectateurs, on ne compta que trente femmes. Même au Nouveau Monde, Lola Montez était considérée comme trop sulfureuse. Elle s'installa un certain temps en Californie, puis monta une troupe et, en 1855, se rendit en Australie. À son retour en Amérique un an plus tard, elle avait adopté une posture religieuse et donna une série de conférences à guichet fermé consacrées à la beauté, à la mode et à la galanterie. En 1859, elle effectua en Grande-Bretagne une tournée de conférences consacrées aux États-Unis, où elle critiquait les abolitionnistes et les mouvements féministes. De retour aux États-Unis à la fin 1859, elle poursuivit ses tournées de conférencière, mais à l'été 1860 elle tomba malade, probablement frappée d'une crise cardiaque. Elle s'accrocha à la vie jusqu'au 17 janvier 1861.

Auparavant, bien avant sa mort, en 1853, Lola Montez fit en même temps que plusieurs centaines d'autres femmes une difficile traversée de l'isthme de Panamá, qui était à cette époque le moyen le plus simple de passer de la côte Est à la Californie. Pour certaines d'entre elles, ce fut une occasion unique de découvrir l'Amérique centrale.

Amérique centrale et Amérique du Sud
Déconseillé aux petites natures

A M É R I Q U E   C E N T R A L E

Le jour où Lola Montez vint se pavaner dans la bourgade panaméenne de Gorgona, Mary Seacole, la propriétaire de l'hôtel, vit arriver une jeune femme «à l'œil mauvais» arborant un costume de gentleman, avec «un manteau à revers de velours, une chemise richement brodée, un chapeau noir, des dessous à la française, et des bottes chic et lustrées montées d'éperons». Lola Montez était également armée d'un fouet, avec lequel elle frappa un Américain qui l'avait agrippée par les basques de son manteau. «Le coup qu'il reçut au visage, observe Mary Seacole, a dû lui laisser une marque pendant plusieurs jours.» Le propriétaire de l'hôtel bondé où Montez descendit ce soir-là – et qui n'était pas celui de Seacole – se vit contraint et forcé de préparer en vitesse un lit d'enfant pour Flora, la chienne de l'aventurière. Quand le propriétaire fit part de son intention de lui facturer cinq dollars ce lit, Lola le menaça de son pistolet pour faire baisser le prix[1].

La visite houleuse de Lola Montez dans l'isthme de Panamá, en ce printemps 1853, alimenta sa réputation de semeuse de discorde. Si l'on peut prêter un certain crédit aux propos de Seacole, les femmes de cette expédition composaient un groupe curieusement assorti. Elles s'habillaient de vêtements d'homme et seules «leur voix et leurs manières plus intrépides et plus téméraires[2]» les diffenciaient du sexe masculin.

Avant de se mettre en route pour la Crimée, où nous la croisons pour la dernière fois, Mary Seacole avait ouvert deux hôtels sur la route de Panamá, tirant ainsi profit de la ruée vers l'or qui attirait des hordes de voyageurs vers la Californie. En 1850, elle rejoignit son frère, qui dirigeait l'Independent Hotel de Cruces, et trouva sur place une telle demande qu'elle put ouvrir un hôtel en face du sien. Son établissement se spécialisa plutôt dans la restauration. Quand l'épidémie de choléra éclata, Seacole soigna quantité de victimes de la maladie et sut apporter son réconfort à ceux qui n'allaient pas survivre. Elle fut peut-être la première femme à opérer

Lola Montez.

D'après un tableau de Joseph Stieler, 1847, commandé par Louis Ier de Bavière.

Lola Montez par Edmond d'Auvergne, New York, Brentano, 1909, frontispice.

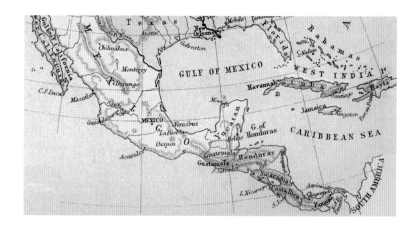

Le Mexique
et l'Amérique centrale.
Atlas pratique Philip's, vers 1897.
une autopsie sur une victime du choléra dans la jungle de Panamá. Elle contracta la maladie à son tour, mais en réchappa, puis elle alla s'installer dans la ville voisine de Gorgona et bâtit là un hôtel réservé aux dames.

Mary Seacole a pu aussi croiser Emmeline et Victoria Wortley quand elle passèrent par Cruces en 1850. Avant d'arriver à Panamá, Mme Wortley et sa fille avaient pris un vapeur de La Nouvelle-Orléans à Veracruz et traversé le Mexique en diligence jusqu'à Mexico et retour. Elles prirent un autre vapeur pour La Havane et, de là, effectuèrent la traversée jusqu'à Chagres et la côte est de Panamá. Ce fut la partie la plus pénible et la plus intéressante de leur voyage, car elles firent route vers la côte ouest à dos de mulet et en canoë. Wortley compara le canoë à la cage où l'on avait dû emprisonner Mme Noble lors de son incarcération en Chine[3]. De Panamá, les Wortley naviguèrent vers le sud à bord d'un vapeur, jusqu'au Pérou. Ensuite, elles revinrent sur leurs pas, du Pérou à Chagres, et embarquèrent à bord d'un autre vapeur pour la Jamaïque, où s'interrompt leur récit.

Le Mexique n'a pas fait l'objet de beaucoup de descriptions de la part des voyageuses, et c'est ce qui rend le récit des Wortley d'autant plus intéressant. Les observations de Frances Erskine Inglis ou plutôt de Mme Calderón de la Barca, son nom d'épouse, sont encore plus précieuses, en raison de la durée de son séjour dans ce pays. Rejointe par sa femme de chambre française (et le caniche de cette dernière), Mme Calderón de la Barca accompagnait son mari, Don Angel Calderón de la Barca, en sa qualité d'émissaire espagnol à Mexico, en octobre 1839. Ils rallièrent Veracruz par bateau, puis Mexico par la route. Ses descriptions de voyage pleines d'esprit revêtirent la forme de lettres à sa famille et furent publiées sous le titre *Vie au Mexique, durant un séjour de deux années dans ce pays* (1843). La *Quarterly Review* l'accusa de tenir le lecteur à l'écart, tout en lui reconnaissant de la vivacité et de l'intelligence[4].

La position sociale des Calderón leur assurait des conditions de voyage luxueuses, mais

Voyage en diligence au Mexique.
ILN, 1er février 1845, 68.

au Mexique le luxe était un terme relatif. Mme Calderón évalua les différents choix qui s'offraient à eux pour gagner la capitale depuis Veracruz par la route – voiture, *litera* ou diligence : « La diligence y va en quatre jours, si rien ne se rompt. La voiture met le temps que l'on veut, forcément au-delà de ces quatre jours ; les *literas* en demandent neuf ou dix, et elles avancent lentement, tirées par des mulets, avec un balancement de chaise à porteurs. La diligence va de pair avec le gîte et le couvert fourni par les auberges – les deux autres moyens n'offrent rien. Je reste favorable à la diligence[5]. »

Ils atteignirent Mexico sans incident, si ce n'est qu'ils y furent accueillis par la révolution qui menaçait. Nonobstant les soulèvements révolutionnaires, ils effectuèrent de nombreuses incursions dans les villes voisines qui, en ce temps-là, exigeaient plusieurs journées d'un voyage fatigant.

Mme Calderón de la Barca considéra Mexico sans fard, lucide quant aux meurtres et aux vols, là-bas très courants. Elle suivit sans broncher le marquage au fer rouge de sept cents taureaux mugissants et nota ensuite : « Tous ces rugissements, tous ces hurlements, toute cette odeur de poil roussi et de *bifteck au naturel* (sic), toute cette musique, et tous ces risques gratuits courus par ces hommes ! » Et à propos de combats de taureaux, elle s'exclame : « Encore un combat de taureaux hier soir !… Au début, on fait une drôle de mine, et puis on se prend à apprécier[6]. »

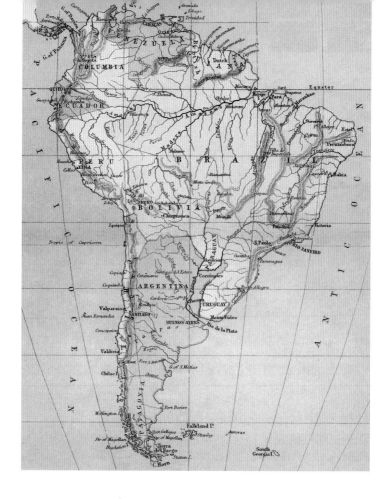

Amérique du Sud.

Atlas pratique Philip's, vers 1897.

AMÉRIQUE DU SUD

Deux voyageuses, ayant abordé l'Amérique du Sud et tout particulièrement le Surinam, sur la côte nord, nous intéressent ici. La première, la dramaturge anglaise Aphra Behn, probablement mieux connue pour son rôle d'espionne, écrivit son récit sous la forme d'un roman autobiographique, *Orénoque*. L'autre, l'entomologiste et artiste botaniste allemande Maria Sibylla Merian, laissa seulement quelques informations qu'il revient aux historiens de rassembler.

Behn est décrite dans une brève biographie datant de 1735 comme une «dame bien née» dont le père, s'étant vu attribuer un poste au Surinam — peut-être celui de lieutenant-gouverneur —, y emmena femme et enfants. Il mourut en route. Behn et sa famille séjournèrent durant une brève période au Surinam avant de rentrer en Angleterre. Le biographe avance que la moralité d'Aphra Behn fit l'objet d'un certain dénigrement, probablement à tort, et qu'elle retourna rapidement en Angleterre sans autre motif que celui d'informer le roi Charles II sur son territoire d'Amérique du Sud. C'est apparemment sur ses instances qu'elle écrivit *Orénoque ou l'Esclave royal*, récit de ses expériences. Écrit à la première personne, le roman raconte l'histoire d'un prince africain vendu comme esclave et emmené au Surinam pour y travailler dans les plantations. Certains détails de la vie personnelle de Behn s'y sont glissés, comme une mention de sa maison de Saint John's Hill[7].

Une biographe, Maureen Duffy, a envisagé l'éventualité que Behn ne soit jamais allée au Surinam. Les détails qui figurent dans *Orénoque* pourraient résulter d'emprunts à des récits de l'époque. Sur la base de sa correspondance privée, Maureen Duffy s'est finalement laissé convaincre de la présence de l'auteur sur les lieux. Et si tel fut le cas, son séjour dura d'août 1663 à février 1664. L'Angleterre et la France avaient tenté d'établir des colonies dans la région depuis 1640 et vers 1660, en dépit des tentatives des indigènes pour chasser les étrangers, une communauté de taille respectable s'y était déjà installée. Les Hollandais s'en emparèrent en 1667, et cette terre devint la Guyane néerlandaise[8].

Aphra Behn.
Behn, *Pièces, Histoires et Romans,*
1871, vol. 1, frontispice.

Près de quarante ans plus tard, Merian se rendit en Guyane néerlandaise pour étudier, collecter et peindre des insectes tropicaux. Avec sa fille Dorothée, âgée de vingt et un ans, peintre elle aussi, elle appareilla en juin 1699 et arriva à la fin de l'été. Elles s'installèrent à Paramaribo et, avec l'aide d'esclaves et d'un couple d'indigènes, collectèrent un nombre d'insectes phénoménal. Leur biographe, Natalie Zemon Davis, souligne le caractère peu ordinaire de cette collecte, non seulement parce qu'il s'agissait d'une femme, mais parce que, ordinairement, les naturalistes se contentaient d'accompagner des expéditions[9].

Merian était une personne peu ordinaire. Née à Francfort dans une famille d'artistes éditeurs, elle avait épousé un graveur et, entre 1675 et 1680, elle avait publié plusieurs importants ouvrages de botanique. Elle s'était séparée de son mari en 1685 et s'était jointe à un mouvement religieux dans la Frise. Quelques années plus tard, elle avait repris son nom de jeune fille, et s'était établie à Amsterdam pour retrouver les activités qu'elle avait délaissées, la peinture, l'enseignement et la collecte de spécimens. Sa décision de partir pour l'Amérique du Sud semble avoir été inspirée par le désir de connaître les insectes tropicaux du Nouveau Monde. En finançant son expédition grâce à la vente de ses peintures et spécimens, elle put rester deux années en Guyane néerlandaise. Quand le climat commença de soumettre sa santé à rude épreuve, elle déclara forfait et retourna à Amsterdam, où elle écrivit, prépara, publia et vendit les résultats de ses études, *Métamorphose des insectes* (1705)[10].

Soixante-dix ans après le séjour de Merian en Guyane néerlandaise, Isabella Godin des Odonais se frayait péniblement un chemin le long de l'Amazone en tentant de rejoindre son mari, Jean, membre de l'expédition de Charles-Marie de La Condamine qui s'était donné pour but de déterminer la forme de la Terre. Les Godin étaient en poste à Quito depuis 1748, quand Jean apprit la mort de son père. Il devait rentrer et Isabella, qui était péruvienne et désirait depuis longtemps découvrir la terre natale de son époux, décida de l'accompagner★. Elle était enceinte – ce qui lui arrivait fréquemment – et le voyage à travers la jungle fut jugé trop risqué, aussi Jean se mit-il en route en mars 1749, dans l'espoir qu'elle pourrait le rejoindre ultérieurement. À Cayenne, il ordonna qu'on tînt prêt un moyen de transport pour le moment où elle serait en état de partir. Malheureusement, les individus auxquels il confia ces préparatifs étaient des incompétents, et Isabella fut contrainte d'organiser elle-même son départ. L'entreprise prit un temps considérable, puisqu'elle ne se mit en route qu'en octobre 1749[11].

Elle voyageait avec ses deux frères, un neveu, trois Français, des domestiques et trente et un porteurs. Ils prirent des dispositions pour que des provisions les attendent dans la bourgade prospère de Canelos, mais à leur arrivée, un mois plus tard, la ville avait été ravagée par une épidémie de variole. Ils construisirent un canoë avec l'aide de deux villageois survivants, qui acceptèrent aussi de piloter l'embarcation, mais au bout de deux jours leurs pilotes s'enfuirent.

Ils trouvèrent un autre pilote qui, trois jours plus tard, tomba dans la rivière et se noya. Sans personne pour manier le canoë, l'équipage était réduit à l'impuissance, et deux des hommes, accompagnés de quelques domestiques, coupèrent à travers la jungle pour aller chercher de l'aide. Isabella Godin et les autres attendirent

Isabella Godin, réduite à un terrible isolement, sur le point de se frayer un passage dans la jungle.
Dronsart, 11.

★ Ceci confirme l'observation de Flora Tristan, citée en introduction, selon laquelle les femmes péruviennes étaient disposées à couvrir n'importe quelle distance pour le plaisir de voyager.

Eût-on raconté dans un roman qu'une femme d'éducation raffinée, accoutumée à tous les conforts de la vie, avait été précipitée dans une rivière ; qu'après avoir été sur le point de se noyer et s'être tirée de ce mauvais pas, cette femme [...] avait pénétré dans des forêts inconnues et dépourvues de chemins, les traversant des semaines durant, sans savoir où elle dirigeait ses pas ; que, endurant la faim, la soif et la fatigue jusqu'à un véritable épuisement, elle ait dû voir ses deux frères, bien plus robustes qu'elle, un neveu encore tout jeune, trois jeunes femmes, ses domestiques, et un jeune homme, le serviteur laissé là par le médecin qui était parti précédemment s'enquérir, tous expirer à ses côtés, et qu'elle, pourtant, ait survécu [...], l'auteur de ce roman eût été accusé d'invraisemblance ; mais l'historien se devait de peindre les faits, pour ses lecteurs, et tout ceci n'est rien d'autre que la vérité[12].

un mois, puis ils confectionnèrent un radeau et se mirent en route, mais leur esquif heurta un arbre et sombra. Ils continuèrent à pied et se perdirent. Sans nourriture et gagnés par la fièvre, tous moururent, excepté Isabella Godin. Entourée de morts, mourant de soif au point d'étouffer, en guenilles, elle se ressaisit et batailla durant huit jours au milieu d'une épaisse végétation pour finalement tomber sur des Indiens amazoniens qui l'emmenèrent à la ville voisine d'Andoas. Son aventure était loin d'être terminée, mais elle se trouvait à présent entre des mains plus ou moins compétentes. Et son mari et elle furent enfin réunis, à l'embouchure de l'Amazone[13].

Au XIXᵉ siècle, les quatre voyageuses qui abordèrent l'Amérique du Sud furent Maria Dundas Graham, Flora Tristan, Ida Pfeiffer et Isabel Burton. Graham rapporta ses deux séjours dans ses ouvrages, *Journal d'un voyage au Brésil* et *Journal d'un séjour au Chili* (1824). Le livre chilien couvre la mort prématurée de Thomas, son mari bienaimé, et ses efforts farouches pour se débrouiller seule. Dénué de sentimentalité, son récit possède une vigueur qui a résisté au temps.

Les Graham prirent la mer de Plymouth à Rio de Janeiro en juillet 1821. Thomas, commandant du *Doris*, devait surveiller et protéger le commerce britannique en Amérique du Sud pendant les soulèvements du Brésil et du Chili pour leur indépendance. Cette affectation fournit à Maria une occasion sans égale d'observer la situation politique et sociale sur la côte du Brésil, surtout à Rio de Janeiro et Bahía Blanca.

Maria était tuberculeuse, mais c'est Thomas qui tomba malade, en novembre 1822, comme beaucoup de membres de l'équipage. À la mi-mars, ils étaient en route pour Valparaiso. Elle espérait que les basses températures du cap Horn allaient améliorer l'état de santé général à bord, mais le gel ne fit qu'aggraver la situation. Thomas mourut le 8 avril 1822, alors qu'ils franchissaient le cap Horn. Le *Doris* atteignit Valparaiso le 28 mars[14].

Maria eut le choix entre repartir à bord d'un navire américain ou rester à Valparaiso : elle décida de louer un petit cottage aux abords de la ville, où elle pourrait essayer de surmonter son chagrin et de recouvrer la santé. Son séjour ne fut pas du tout solitaire : mis à part les amis chiliens ou européens expatriés qu'elle se créa, et les allées et venues des officiers du *Doris*, qu'elle considérait comme sa famille, sa cousine Glennie, qui souffrait elle aussi de consomption, demeurait de temps en temps auprès d'elle. De même, elle renoua une amitié avec Lord Cochrane, un ancien officier britannique devenu amiral de la marine chilienne[15].

Ces visites régulières, ses dessins et la tenue de son journal furent interrompus en juillet 1882 par un léger tremblement de terre et, à la mi-août, par une série d'excursions dans la campagne alentour et vers Santiago et ses environs. Elle rentra à Valparaiso soigner sa cousine malade, alors qu'elle souffrait elle-même d'une résurgence de sa tuberculose. En novembre, un énorme séisme frappa la ville, et pour le temps que Maria Graham devait encore demeurer au Chili, les secousses secondaires et la dévastation du pays rendirent la vie extrêmement difficile. Valparaiso était gravement endommagée, et son cottage, l'un des rares logements restant habitables, lui fut arraché par une famille anglaise. En janvier 1823, elle quitta le Chili pour Bahía Blanca.

Au Brésil, sa santé se détériora rapidement, elle regagna donc l'Angleterre en octobre. Ses journaux furent publiés l'année suivante, et elle retourna à Rio pour y éduquer la fille de l'impératrice, demeurant là-bas jusqu'en 1826. De retour en Angleterre, elle travailla en qualité d'éditrice pour John Murray, puis elle épousa le peintre paysager Augustus Callcott, qu'elle entraîna à travers toute l'Europe. Elle écrivit neuf autres ouvrages, dont son *Histoire d'Angleterre du Petit Arthur* (1835). La tuberculose eut finalement raison d'elle. Elle mourut à l'âge de cinquante-sept ans, en 1842.

Flora Tristan, connue comme militante féministe et réformiste, et aussi comme grand-mère de Gauguin, voyagea dans le pays natal de son père, le Pérou, en 1833 et 1834, pour tenter de revendiquer son héritage. Le résultat, ce furent ses *Mémoires et Pérégrinations d'une paria* (1838), une attaque contre la famille de son père, mêlée à un récit de voyage et à un commentaire social.

Avant son départ en février 1833, Flora Tristan avait quitté son mari, un être violent, dont elle avait eu trois enfants. Déclarée juridiquement illégitime, et de ce fait privée de ses droits d'héritière, elle espérait conquérir son indépendance financière en faisant valoir auprès de son oncle péruvien, Don Pio de Tristan, que la part de la propriété familiale échue à son père lui restait due. À Bordeaux, elle embarqua à bord du *Mexicain* et, durant cette traversée de cent trente-trois jours jusqu'à Valparaiso, conquit sans le vouloir le cœur du capitaine, Zacharie Chabrié. Elle était respectée et choyée par les officiers, mais la violence de la mer, surtout au passage du cap Horn, et les attentions constantes de Chabrié l'épuisèrent.

De Valparaiso, où tout le monde se présenta pour découvrir la «jolie jeune dame», elle navigua vers Islay, sur la côte du Pérou, où elle fut infestée de puces dans une pension[16]. La nuit suivante, l'aubergiste, Mme Justo, lui montra quelques trucs :

Le voyage de Flora Tristan
au Pérou la conduisit au
port d'Islay (qui ne figure
plus sur les cartes, mais qui
était situé juste au nord de
la ville de Mollendo),
avant de la mener 120 km
à l'intérieur des terres,
jusqu'à la bourgade
d'Arequipa (CI-DESSUS).
ILN, 10 mars 1855, 220.

Mme Justo plaça quatre ou cinq chaises à la suite les unes des autres, de telle sorte que la dernière aboutissait au lit ; elle me fit déshabiller sur la première chaise : je passai sur la seconde n'ayant plus que ma chemise, Mme Justo emporta tous mes vêtements hors de la chambre, en me recommandant de m'essuyer avec une serviette, afin de faire tomber les puces adhérentes au corps ; ensuite j'allais de chaise en chaise jusqu'au lit où je pris une chemise blanche sur laquelle on avait jeté beaucoup d'eau de Cologne. Ce procédé me procura deux heures de tranquillité ; mais, après, je me sentis assaillie par des milliers de puces qui arrivaient à mon lit[17].

Flora Tristan voyagea à dos de mulet d'Islay à Arequipa, où vivait son oncle. Cette équipée à travers le désert et les montagnes faillit la tuer. «Quant à moi, j'ignorais ce que sont de tels voyages, et j'étais partie comme je le ferais de Paris pour aller à Orléans.» Elle avait envie de mourir et ne voulut plus quitter la tombe d'un autre voyageur mort sur le même sentier[18].

Après avoir passé six mois inactifs dans la demeure de son oncle, elle comprit non sans amertume que ses perspectives d'hériter de la fortune familiale étaient nulles. Son désarroi devant les coutumes et les règles de vie péruviennes fut encore accru par un tremblement de terre et un soulèvement militaire. En avril 1834, en dépit des dangers que faisaient planer les bandes de déserteurs, elle partit pour Lima en compagnie d'un Anglais, Valentine Smith, et elle arriva à peine plus d'une semaine après. Lima lui convenait mieux, même si les combats de taureaux la dégoûtaient franchement. « À Lima, écrit-elle, rien ne vient poétiser ces scènes de boucherie[19]. » En juillet 1834, elle quitta le Pérou à bord d'un navire en partance pour l'Angleterre, mais on ignore où elle débarqua. Elle était de retour à Paris en janvier de l'année suivante.

Mémoires et Pérégrinations d'une paria mit son oncle en colère, mais ce n'était que le premier d'une série de livres controversés, notamment ses *Promenades dans Londres* (1840). Sa renommée de syndicaliste, de réformiste, d'avocate du divorce et de féministe grandit, simultanément à la quantité de fiel que répandait son époux. Ce dernier s'octroya la garde de leurs enfants ; elle le fit arrêter sur une présomption d'inceste. Il réussit à se laver de cette accusation, avant de publier un pamphlet dénonçant les manières immorales de sa femme. Pour comble, en 1838, il lui tira dessus. Elle survécut, mais il fut jeté en prison et purgea une peine de dix-sept années d'emprisonnement. En 1844, Flora Tristan mourut de fatigue et de la fièvre typhoïde, durant une tournée de promotion éprouvante pour son ouvrage, *Unité ouvrière*[20].

Ida Pfeiffer se rendit en Amérique du Sud en 1846, dans le cadre de son premier tour du monde. Elle quitta Hambourg en compagnie du comte Berchthold, qu'elle avait rencontré en Terre sainte et qui avait décidé, en l'entendant parler de ses projets lors d'une rencontre inopinée, de l'accompagner jusqu'au Brésil. Elle espérait écrire un livre relatant ses voyages, mais elle évoquait humblement ses ambitions de la manière suivante : « Mon but consiste tout simplement à décrire ce que j'ai vu[21]. » La traversée d'Europe en Amérique du Sud, si elle fut rude, se fit sans tracas, à la grande déception de l'écrivain en quête de matériau qu'elle était. Mais la saleté et la laideur de Rio de Janeiro fournirent à Ida Pfeiffer l'occasion de laisser libre cours à

Pour ma part, je me félicitais déjà des histoires tragiques que tout ceci me permettrait de proposer aux lecteurs ; je me représentais ces derniers versant des larmes sur la narration des souffrances que nous avions connues, et je me faisais déjà l'impression d'être une martyre. Hélas ! J'ai été tristement déçue. Nous sommes tous restés en parfaite bonne santé ; pas un marin ne coula épuisé au fond de l'eau […] et nos provisions ne furent pas gâtées – elles étaient aussi mauvaises qu'auparavant, ni plus ni moins. – Ida Pfeiffer[22].

son talent descriptif. Elle souffrit de la chaleur oppressante, ce qui ne fit qu'accroître son malaise à Rio, après quoi une excursion jusqu'à la colonie de Petrópolis faillit s'achever sur un désastre quand le comte Berchthold et elle furent attaqués par un véritable démon qui maniait le couteau avec l'intention de tuer :

> Les seules armes de défense que nous possédions étaient nos parasols, si j'exceptais un couteau à virole, qu'instantanément je tirai de ma poche et ouvris, fermement déterminée à vendre ma vie aussi chèrement que possible […]. Il s'empara de [mon parasol] qui, alors que nous nous le disputions, se rompit, et je restai avec seulement un morceau du manche dans la main. Toutefois, dans la lutte, il laissa tomber son couteau, qui roula à quelques pas de lui ; instantanément, je me précipitai, et je croyais m'en être saisie, quand lui, plus rapide que moi, me repoussa avec ses pieds et ses mains, et en reprit possession. Il l'agita furieusement au-dessus de ma tête, et m'infligea deux blessures, une piqûre et une profonde entaille, toutes les deux dans la partie supérieure du bras gauche ; je me suis crue perdue, et le désespoir seul me donna le courage de me servir de mon propre couteau. Je lui en portai un coup à la poitrine ; il réussit à le parer, et je ne réussis qu'à le blesser gravement à la main. Le comte bondit en avant, et ceintura le gaillard par-derrière, me permettant ainsi de me relever[23].

Berchthold écopa d'une coupure à la main. L'apprenti assassin fut arrêté par des cavaliers, et le duo continua sa route jusqu'à Pertrópolis. L'incident eut des effets durables : la blessure de Berchthold le contraignit à s'aliter, et Ida Pfeiffer se méfia désormais des étrangers.

Elle partit pour une randonnée de quatre jours jusqu'à un village puri dans la forêt brésilienne (les Puris étaient une tribu désormais disparue), où elle eut le plaisir de dîner avec un singe et un perroquet. Elle dormit à la dure dans une hutte mise à sa disposition. Depuis Rio, elle effectua la traversée par le cap Horn jusqu'à Valparaiso, et de là gagna Tahiti.

Isabel et Richard Burton vécurent de 1865 à 1867 au Brésil, où Richard avait été nommé consul de Grande-Bretagne. Ils s'installèrent d'abord à Santos, au sud de Rio de Janeiro, puis à São Paulo. C'était la première grande aventure d'Isabel Burton. Elle écrit fièrement à sa famille qu'« on me tient ici pour une merveilleuse personne, étant si indépendante, car toutes les dames sont assez chochottes[24] ». Toutefois, elle était de santé assez délicate : elle se retrouva couverte de furoncles, attrapa une variante bénigne du choléra, et abrita temporairement quantité de leptes, ce qui ne l'empêcha pas de monter à cheval, de partir en randonnée à pied, de nager, de pratiquer l'escrime et la gymnastique.

En 1867, Richard et elle se lancèrent dans une expédition de deux mois vers l'intérieur du pays. Ils voyagèrent en char à bancs, à dos de mulet et à cheval. À certains endroits, les routes étaient si mauvaises qu'ils devaient alléger la charge autant qu'il était possible, en ne laissant que l'essentiel : « Si les dames qui voyagent avec de grandes panières de la taille d'un petit cottage avaient vu mon petit baluchon et une petite valise en cuir juste assez grande pour contenir une brosse, un peigne et très peu de linge de rechange, elles m'auraient prise en pitié[25]. »

Isabel Burton.
ILN, 22 janvier 1887, 98.

Elle se fit une entorse et rentra portée dans un hamac, laissant Richard poursuivre leur voyage. Alors qu'elle approchait de Rio à bord d'un vapeur, elle prit conscience de son apparence : « Je me suis cachée dans la cabine des dames, car j'avais honte de l'état de mes vêtements […], et on me dévisagea beaucoup. Mes bottines étaient déchiquetées, ma seule et unique robe présentait à peu près une quarantaine de déchirures, mon chapeau n'était plus que lambeaux, ma figure avait la teinte rougeâtre de l'acajou, et elle était toute gonflée à cause du soleil[26]. »

Richard revint plusieurs mois plus tard et tomba malade. Une fois rétabli, il était déterminé à quitter le Brésil. Les Burton vendirent leurs biens et, en septembre 1868, alors que Richard entreprenait une autre expédition, Isabel rentra en Angleterre. Avant la mort de Richard en 1890 et la sienne en 1896, elle voyagea en Syrie, en Terre sainte, en Italie, en Inde et en Afrique du Nord, et vécut à Damas et Trieste. Même si les dernières années de sa vie furent ternies par la disparition des manuscrits de Richard qu'elle détruisit, le tombeau qu'elle avait fait bâtir pour sa dépouille et celle de son mari – proche de la tente bédouine – témoigna de son amour pour son existence nomade.

De retour

S'envoler pour l'étranger, échapper à la ruche, comme l'abeille, et revenir char-
gée des douceurs du voyage, de scènes qui hantent le regard − aventures effré-
nées, qui ravivent l'imagination −, de connaissances, qui éclairent et libèrent
l'esprit des préjugés tenaces et abrutissants − un cercle élargi de sympathie
envers nos congénères ; tels sont les usages du voyage, qui me convainquent que
chaque nouveau départ sera le meilleur et le plus joyeux. Mary Shelley[1].

QUE LEURS VOYAGES DURENT SIX SEMAINES OU SIX ANS, la plupart
des voyageurs, s'ils ne sont pas des émigrants, envisagent toujours leur
retour. Ce fut le cas de presque toutes les femmes de ce livre. Pourtant, même si elles achevèrent leurs voyages avec soulagement, le Nord
humide et froid, après les terres ensoleillées, était pour elles une torture. Constance Gordon Cumming conseillait de rentrer en été[2].

Mais d'autres ne sont jamais rentrées, au-delà de leur volonté.
Lors de voyages, Alexine Tinne fut assassinée et Isabelle Eberhardt se
noya. Laurence Hope se suicida. Harriet Tinne et Adriana Van
Capellen moururent de maladie, destin fréquent pour qui se risquait en Afrique centrale. Lise Cristiani fut emportée par le choléra
dans le Caucase. La dépouille de Lady Annie Brassey fut confiée
aux profondeurs de l'océan Indien. Hester Stanhope expira d'une
mort lente dans son monastère à Djoûn, au Liban. En dépit des privilèges que lui conférait sa position de vice-reine d'Inde, Charlotte
Canning mourut à Calcutta d'une fièvre qu'elle contracta durant le
trajet depuis Darjeeling. Jane Digby succomba elle aussi à la fièvre
et à la dysenterie, à Damas.

Emmeline Wortley mourut sur la route, d'un accident
de cheval, à Jérusalem : la conséquence d'un mauvais
coup de pied que la bête lui décocha. Coe, la femme
de chambre de Mme Wortley, était déjà morte à Alep[3].

Le voyage affaiblit considérablement Ida Pfeiffer,
qui mourut à l'âge de soixante et un ans, probablement
d'épuisement et de fièvre, suite à son périple de 1857
à l'île Maurice et à Madagascar. La santé de Marianne
North commença de décliner après une longue et
inconfortable quarantaine aux Seychelles, en 1884.

Marianne North,
au terme de ses périples.
Cette photographie fut
prise devant sa maison
d'Alderley par
Mme Bryan Hodgson,
une voisine.
North 1892, vol. 2, frontispice.

Même si elle parvint à effectuer un dernier voyage au Chili, elle dut abréger son séjour en raison de sa santé. Pour elle, la magie du voyage avait disparu. Elle mourut chez elle en Angleterre, en 1890.

Anne Blunt résolut le problème du retour à la maison en en possédant deux : Crabbet, en Angleterre, et Sheykh Obeyd, à Héliopolis, non loin du Caire. Cavalière émérite, elle importa des chevaux arabes et passa son temps entre ses deux domaines, jusqu'à sa mort au Caire, en 1914[4].

Si l'on admet que la chance était largement contraire aux voyageuses antérieures au XXe siècle, c'est un miracle qu'elles aient été si nombreuses à survivre à leurs histoires. Elles nous ont laissé les preuves que des femmes sont parties voir le monde, tirant le meilleur de ce qu'elles ont vu, avec aplomb et joie de vivre. Grâce à leurs lettres personnelles, à leurs journaux intimes et à leurs livres, nous disposons de précieux témoignages de leurs hauts faits. Nous comprenons à quel point elles ont su nous ouvrir la voie, en abattant des barrières à l'intérieur de leur pays comme dans ceux qu'elles visitèrent. Les femmes d'aujourd'hui ne doutent ni de leur droit ni de leur aptitude à voyager, mais, en tenant le voyage pour acquis, peut-être risquons-nous tous – hommes et femmes – de perdre l'esprit d'aventure et le sens de l'émerveillement qui animèrent toutes ces voyageuses.

Notes

INTRODUCTION. *N'importe où, sauf à la maison*
1   Montagu, vol. 3, 30.
2   Fay, 175.
3   [Eastlake] *Quarterly Review*,
    102 ; Robinson, 178, attribue cet article
    anonyme à Lady Elizabeth Eastlake, elle
    aussi voyageuse et écrivain.
4   Cincinnati, *Mirror and Ladies' Parterre*,
    18 août 1832, en notes in Trollope 1949
    (1832), 300.
5   Calderón, 182 ; Martineau 1848, 263 ;
    Duff Gordon, 110 ; Tristan, 129.
6   Bird 1875, 58.
7   Dronsart, 129.
8   Fay, 29.
9   [Eastlake] *Quarterly Review*, 101, 99.
10 *Ibid.*, 104, 103.
11 « Absente de la maison », 21 juin 1856, 258.
12 Bury, vol. 2, 224 ; Parks, Fanny, 59.
13 Gladstone, 109 ; Audouard, 42.
14 « Voyageuses en Norvège », 176.
15 Compte rendu Gushington, *ILN*,
    18 avril 1863, 438.
16 Curzon, *in* Barr, 268.

Diligences, douaniers et guides
1   Shelley 1996 (1817), 19, 23, 29.
2   Craven, vol. 1, LXV.
3   « Voie ferrée », 231, 261-262.
4   Bates, 59.
5   Montagu, vol. 1, 310-311.
6   Fay, 48.
7   Shelley 1996 (1844), 210-211, 140, 233 ;
    Starke, 3.
8   Shelley 1996 (1844), 218 ; Craven, vol. 1, 83.
9   Fanshawe, 138-139 ; Montagu, vol. 2, 310.
10 Kinder, 46.
11 Cust, 17-18 ; Schreiber, 123-124 ; Alcott,
    241-242, 250.
12 Shelley 1996 (1844), 370, 177.
13 Starke, III.

EUROPE. *En voyage avec la gent féminine*
1   Craven, vol. 1, XV, XXIV, 44-47.
2   *Ibid.*, XXVIII, XXXVIII.
3   George Parks, 29-30.
4   Trollope 1836, 134.
5   Bury, vol. 1, 264, 295 ; Craven, vol. 1,
    LXV ; Montagu, vol. 2, 359.
6   Adams, 380.

7   Trollope 1836, 194.
8   Smith, 349.
9   Shelley 1996 (1844), 69.
10 *Ibid.*, 105, 140, 253 ; Baedeker, *Suisse*, 276, 322.
11 Blessington, 60-61.
12 *Ibid.*, 106.
13 Staël, Livre I, partie 2, 6.
14 Shelley 1996 (1844), 284.
15 Blessington, 47.
16 *Ibid.*, 153-158.
17 Byron, *in* Smith, 353 ; Shelley 1996 (1844), 53.
18 Compte rendu Elliot, *ILN*,
    1er juillet 1871, 639.
19 Blessington, 99.
20 Russell, 91-92 ; Robinson, 20 ; « L'exploit
    de Walker », *ILN*, 5 août 1871, 102.
21 Istria, *in* Cortambert, 283-284, d'après la
    traduction anglaise de l'auteur.
22 Edwards, 65.
23 *Ibid.*, 191-193 ; compte rendu Edwards,
    ILN, 30 août 1873, 206 ; référence
    originale à Cook par Edwards, XXXI.
24 Compte rendu Eden, *ILN*, octobre 1869, 368.
25 Craven, vol. 1, 124 ; Londonderry, 161.
26 Fanshawe, 127-128.
27 *Ibid.*, XVI, XVIII ; le nombre d'enfants
    mentionné par Fanshawe s'élève à
    quatorze ; Bates, 13, parle de dix-huit ;
    Robinson, 236, en évoque dix-sept.
28 Fanshawe, 173.
29 Aulnoy, LXI.
30 *Ibid.*, V-VIII.
31 Schaw, 236.
32 *Ibid.*, 243.
33 Extrait de *Lisbonne en 1821-1822-1823*
    (1824), *in* Cust, 192.
34 Burton, 232-233 ; Cust, 191.
35 Elliot, 3, 78, 171.
36 *Ibid.*, 235-236.
37 Wollstonecraft 1796, 49 ; Baedeker, *Guide
    de Norvège, Suède et Danemark*, XVI ;
    Wollstonecraft 1979.
38 Londonderry, 7.
39 *Ibid.*, 34, 6, 36.
40 Dashkov, 11-16.
41 *Ibid.*, 115.
42 Schopenhauer, 65.
43 *Ibid.*, 25.

RUSSIE. *Réaliser l'irréalisable*
1   Hommaire de Hell, 56.
2   Londonderry, 58, 55.
3   Félinska, 210, d'après la traduction
    anglaise de l'auteur.
4   Cristiani, 385.
5   *Ibid.*, 394-395.

6   Marsden, 12.
7   *Ibid.*, 21.
8   *Ibid.*, 13.
9   *Ibid.*, 95.
10 *Ibid.*, 139.
11 Guthrie, page de titre.
12 *Ibid.*, 15.
13 Hommaire, 205.
14 *Ibid.*, 286-287.
15 *Ibid.*, 208.
16 *Ibid.*, 368-369.
17 *Ibid.*, 387-388.
18 Cortambert, 24 ; les Hommaire sont par-
    fois évoqués sous le nom de Hell, mais
    Adèle appelait son mari Hommaire.
19 Seacole, 2.
20 *Ibid.*, 73.
21 «Évacuation de la Crimée», *ILN*, 30 août
    1856, 216 ; «Notre propre vivandière»,
    Punch, 30 mai 1857, 221.
22 Serena 1882, vol. 43, 416.
23 *Ibid.*, vol. 43, 354.
24 *Ibid.*, vol. 44, 240.

MOYEN-ORIENT. *Les reines du désert*
1   Pfeiffer 1852, 41.
2   Le mot *dragoman* vient du mot arabe *tur-
    juman* pour «interprète», Cowan, 93 ;
    Martineau 1848, 24-25 ; Baedeker, *Manuel
    pour l'Égypte*, XXV.
3   Pfeiffer 1852, 174.
4   Montagu, vol. 1, 356, lettre à Lady Rich,
    depuis Andrinople, 1er avril 1717.
5   Montagu, vol. 2, 10.
6   *Ibid.*, vol. 2, 70.
7   *Ibid.*, vol. 1, 394-395.
8   Craven, vol. 2, 117-118, 101.
9   Belgiojoso, vol. 9, 474, d'après la traduc-
    tion anglaise de l'auteur.
10 Londonderry 1958, 218-219.
11 Beaufort, vol. 2, 390 ; Victoria Wortley
    in Cust, 271.
12 Gattey, 142 ; Belgiojoso, vol. 9, 467 ;
    Belgiojoso 1862 (1858), 305-307.
13 Strachey, 213.
14 Kinglake, 67-68.
15 Strachey, 214 ; Childs, 92.
16 Childs, 134-139.
17 *Ibid.*, 147, 156.
18 Childs, 191, 201 ; Meryon, vol. 1, X.
19 Fraser, 281.
20 Digby, *in* Lovell, 161.
21 Beaufort, vol. 1, 370.
22 Burton 1875, vol. 1, 4-7.
23 Burton 1898, 367.
24 *Ibid.*, 372, 491 ; Martineau 1848, 491.

25 Burton 1898, 384-385.
26 *Ibid.*, 389.
27 *Ibid.*, 368-369.
28 Paschkoff, 170, d'après la traduction
    anglaise de l'auteur.
29 *Ibid.*, 173.
30 Longford, 97.
31 Blunt 1879, 48.
32 Burton 1898, 469 ; Blunt 1879, vol. 2,
    158-159.

ÉGYPTE. *Laissez votre crinoline au Caire*
1   Baedeker, *Manuel pour l'Égypte*, 28.
2   Fay, 92, 93.
3   Roberts, 143 ; «Épitomé des nouvelles…»,
    ILN, 30 novembre 1884, 343.
4   Martineau 1848, 292.
5   *Ibid.*, 72-73
6   *Ibid.*, 204.
7   Beaufort, vol. 1, 36.
8   Compte rendu Poole, *Blackwood's
    Magazine*, mars 1845, 286-297, 290-291.
9   Beaufort, vol. 1, VII.
10 *Ibid.*, 73.
11 *Ibid.*, 249.
12 Pfeiffer 1852, 241 ; Beaufort, vol. 1, 114 ;
    Martineau 1848, 200.
13 Poole, *in* « "Une Anglaise en Égypte" par
    Mme Poole», 296.
14 Audouard, 315, d'après la traduction
    anglaise de l'auteur.
15 Beaufort, vol. 1, 114-115.
16 Bensly, 33.
17 Victoria Wortley, *in* Cust, 291.
18 Pfeiffer 1852, 243.
19 Nightingale, 181 ; Hill, 15.
20 Audouard, 390-392.
21 Duff Gordon, 115.
22 *Ibid.*, 186-192.
23 *Ibid.*, 355 ; Martineau 1848, 40.
24 Pfeiffer 1852, 259.

AFRIQUE. *Un continent interdit aux dames ?*
1   Beaufort, vol. 1, 49.
2   Petherick, vol. 1, 27-28.
3   Petherick, vol. 1, 174 ; H. J. Holland, *in*
    Petherick, vol. 1, 175.
4   Baker 1868, 100-101.
5   Hall, 26-29.
6   Compte rendu Baker, *ILN*, 16 juin 1866, 594.
7   Hall, 47 ; Baker 1870 (1866), 7, 69-70.
8   Baker 1870 (1866), 304.
9   *Ibid.*, 437.
10 Gladstone, 101, 104, 106.
11 *Ibid.*, 119.
12 Baker 1870 (1866), 20.

13 Gladstone, 123-127.
14 Petherick, vol. 1, 306.
15 Gladstone, 134-137.
16 *Ibid.*, 149-153.
17 *Ibid.*, 156.
18 Gladstone, 164; Petherick, vol. 2, 25.
19 Gladstone, 196-197, 202, 206.
20 *Times*, 6 septembre 1869, I; Gladstone, 220-221.
21 Montagu, vol. 2, 97; Fraser, 284.
22 Crisp, ms.
23 Hart, 27.
24 Eberhardt, 2.
25 Hart, 24-31.
26 *Ibid.*, 41-46, 60-64.
27 Kobak, 56.
28 *Ibid.*, 49, 88-89.
29 Eberhardt, 48.
30 Kobak, 132, 137.
31 Cauvet, *in* Kobak, 130.
32 Eberhardt, *in* Kobak, 167.
33 Eberhardt, 46, 108; Kobak, 175, 188.
34 Falconbridge, 116; Fyfe, *in* Falconbridge, 130-132.
35 Picard, 103, 143.
36 Frank, 64; Kingsley 1899, 95.
37 Frank, 18, 21.
38 *Ibid.*, 31.
39 Kingsley 1897, 9; Frank, 87-88, 69, 74-78.
40 Frank, 95.
41 Kingsley 1899, 31.
42 *Ibid.*, 122.
43 Kingsley 1897, 12, 103, 165, 203, 548.
44 Kingsley 1899, X; *Nature*, extrait d'une publicité de l'éditeur pour *Voyages en Afrique de l'Ouest.*
45 Kingsley 1899, XII, 6.
46 Frank, 220-221.
47 Kingsley 1899, 310.

DE L'ARABIE À LA PERSE. *L'attrait du danger*
1 Blunt 1881, vol. 1, 102-104.
2 Blunt 1986, 95.
3 Blunt 1881, vol. 1, 187.
4 Pfeiffer vers 1851, 245.
5 *Ibid.*, 259, 270.
6 Pfeiffer vers 1851, 299.
7 Dieulafoy 1989, 12, 19.
8 Dieulafoy 1887, 34.
9 Bird 1891, vol. 1, 45-47, 90-92, 152.
10 Bird 1891, vol. 2, 396.
11 *Ibid.*, 166.

Des agneaux aux allures de loups
1 Seacole, 20.
2 Cortambert, 16-23.

3 *Ibid.*, 38-41.
4 Bassett, 3.
5 Thurman, 84; Klumpke, XXXI. L'une des détentrices fameuses de ce permis fut le peintre Rosa Bonheur. La question de la loi française interdisant aux femmes le port de vêtements masculins a été le sujet de nombreux ouvrages.
6 Burton 1898, 419-420.
7 Pfeiffer 1852, 76.
8 Beaufort, vol. 1, 127.
9 Childs, 163; Martineau 1848, 42.

INDE. *Ou comment oublier d'être choquée*
1 Fay, 111.
2 *Ibid.*, 146.
3 Premble, 14.
4 Graham, 28.
5 Premble, 5.
6 Fane, *in* Premble, 63, 165, 53.
7 Premble, 232, 237.
8 Duff Gordon, 267.
9 Eden, vol. 2, 116; vol. 1, 189.
10 Fane, 208; Eden, vol. 2, 11.
11 Seymour, 16-17; Eden, vol. 2, 183.
12 Longford, 152.
13 Pfeiffer vers 1851, 208.
14 Gordon Cumming, 75, 526.
15 *Ibid.*, 323.
16 Dans les traductions françaises de ses œuvres, son nom s'écrit Charles-E. d'Ujfalvy.
17 Ujfalvy, 226-227.
18 *Ibid.*, 394.
19 Blanch, 1963.

OCÉANIE. *Les globe-trotteuses opèrent la jonction*
1 Parker, 3, 9.
2 *Ibid.*, 95, 89-90.
3 *Ibid.*, 107.
4 Meredith, 119.
5 *Ibid.*, 105-106.
6 Clacy, 52, 90-91, 75, 106.
7 Hill, 281-282.
8 Pfeiffer 1856, 184, 190.
9 Cortambert, 374.
10 Pfeiffer 1856, 74, 167.
11 *Ibid.*, 263-264.
12 Leonowens, 8.
13 *Ibid.*, 20-21.
14 *Ibid.*, 57-58.
15 *Ibid.*, 282-283.
16 Bird 1875, 102.
17 Bird 1883, 306-307.
18 *Ibid.*, 250.
19 North, vol. 2, 141.
20 *Ibid.*, 124-125.

21   *Ibid.*, 337.
22   Forbes, 263.

Rester en vie
1   Pfeiffer vers 1851, 247 ; Belgiojoso 1862
     (1858), 370-371.
2   Belgiojoso 1862 (1858), 370-371.
3   North, vol. 1, 325, 216.
4   Belgiojoso, *in* Gattey, 177.
5   Fanny Parks, vol. 2, 45.
6   Martineau 1848, 522.

CHINE, JAPON ET TIBET. *Foi et folie*
1   Pfeiffer vers 1851, 94.
2   Collis, 5.
3   Pfeiffer vers 1851,100, 95.
4   Bourboulon, 319, 324.
5   *Ibid.*, 319.
6   Dronsart, 51 ; Michell, 212.
7   Bird 1881 (1880), 52.
8   *Ibid.*, 28.
9   *Ibid.*, 42, 68-83.
10   North, vol. 2, 212.
11   Bird, 191 ; Barr, 270.
12   Barr, 339-340.
13   Carey, 26, 4, 167.
14   *Ibid.*, 148-149.
15   J'ai été incapable de repérer exactement Lusar ;
     Kumbum est proche de la ville de Xining.
16   Rijnhart, 387-388.
17   Russell, 175.

AMÉRIQUE DU NORD. *Un continent « trollopisé »*
1   *Cariboo*, 7.
2   Jameson, vol. 1, 2.
3   *Ibid.*, 38, 82.
4   *Ibid.*, 64-68.
5   Jameson, vol. 3, 28, 35.
6   *Ibid.*, 145.
7   *Ibid.*, 153, 166-167, 316, 321.
8   *Ibid.*, 332-333.
9   Kirk, 394.
10   Hargrave, 219.
11   Pfeiffer 1856, 456-457.
12   Trollope 1949 (1832), 96, note.
13   Bird 1856, 125 ; Trollope 1949 (1832), 404.
14   Trollope 1949 (1832), 14.
15   Mullen, 72-75.
16   Martineau 1838, vol. 1, 33, 34.
17   *Ibid.*, vol. 2, 255.
18   *Ibid.*, 91.
19   Trollope 1949 (1832), 181.
20   Martineau 1838, vol. 1, 213.
21   Martineau 1838, vol. 2, 198, 239.
22   Wortley, 56.
23   *Ibid.*, 82.

24   Martineau 1838, vol. 1, 96 ; Coleridge, vol. 1, 219.
25   Trollope 1949 (1832), 385.
26   Bird 1856, 233-234.
27   Pfeiffer 1856, 302 ; Trollope 1949 (1832),
     16 ; Bird 1966 (1856), 148, 170.
28   Bird 1879, 223.
29   Bird 1966 (1856), 110.
30   Seymour, 30, 32, 36, 38.
31   *Ibid.*, 66-70,93-94, 101.
32   *Ibid.*, 204, 214, 219-224.

AMÉRIQUE CENTRALE ET AMÉRIQUE DU SUD.
     Déconseillé aux petites natures
1   Seacole, 40-41 ; Seymour, 310-311.
2   Seacole, 18.
3   Wortley, 281.
4   [Eastlake] *Quarterly Review*, 114-115.
5   Calderón, 23.
6   *Ibid.*, 229, 130.
7   Behn, 134, 152-158.
8   Duffy, 30, 32, 39-41,45.
9   Davis, 168, 172, 175.
10   *Ibid.*, 146, 157, 161-167, 178.
11   Maxwell, 315-317.
12   *Ibid.*, 322-323.
13   *Ibid.*, 319-331.
14   Graham, 65, 69-70.
15   *Ibid.*, 71-75, 78.
16   Tristan, 55.
17   *Ibid.*, 82.
18   *Ibid.*, 84, 90.
19   *Ibid.*, 328.
20   *Ibid.*, XXI-XXVII.
21   Pfeiffer vers 1851, 18.
22   *Ibid.*, 11.
23   *Ibid.*, 34.
24   Burton 1898, 250.
25   *Ibid.*, 278-279.
26   *Ibid.*, 340.

De retour
1   Shelley 1996 (1844), 157.
2   Gordon Cumming, 596.
3   Cust, 300-301, 331.
4   Longford, 408.

Bibliographie

LIVRES

Adam, W. H. Davenport, *Celebrated Women Travellers of the Nineteenth Century*, Londres, Swan Sonnenschein, 1882.

Alcott, Louisa May, *Louisa May Alcott : Her Life, Lettters, and Journals*, éd. Ednah D. Cheney, Boston, Robert Brothers, 1891.

Audouard, Olympe d', *Les Mystères de l'Égypte dévoilés*, 2ᵉ éd., Paris, E. Dentu, 1866.

Aulnoy, Marie Catherine Jumelle de Berneville, comtesse d', *Travels into Spain ; Being the Ingenious and Diverting Letters of the Lady. Translated (…) from Relation du voyage d'Espagne* (1691), éd. R. Foulché-Delbosc, Londres, George Routledge & Sons, 1931.

Baedeker, Karl, *Guide to Norway, Sweden and Denmark*, Leipzig, Karl Baedeker, 1895.

— *Handbook to Egypt*, 1ʳᵉ partie, *Basse-Égypte*, Leipzig, Karl Baedeker, 1895.

Switzerland, Leipzig, Karl Beadeker, 1911.

Baker, Samuel White, *The Albert N'yanza, Great Basin of the Nile, and Exploration of Nile Sources*, Londres, Macmillan, 1871 (1ʳᵉ édition 1866).

— *The Nile Tributaries of Abyssinia, and the Sword Hunters of the Hamran Arabs*, Philadelphia, J. B. Lippincott, 1868 (1ʳᵉ édition 1867).

Barr, Pat, *A Curious Life for a Lady : The Story of Isabella Bird, Traveller Extraordinary*, Harmondsworth, Penguin, 1985 (1ʳᵉ édition 1970).

Bassett, Marnie, *Realms and Islands : The World Voyage of Rose de Freycinet in the Corvette Uranie, 1817-1820*, Londres, Oxford Univ. Press, 1962.

Bates, E. S., *Touring in 1600*, Londres, Century, 1987 (1ʳᵉ édition 1911).

Beaufort, Emily A., *Egyptian Sepulchres and Syrian Shrines*, 2 vol, Londres, Longman, Green, Longman & Roberts, 1861.

Behn, Aphra, " Orinooko : Or, The Royal Slave ", in *The Plays, Histories and Novels of the Ingenious Mrs. Aphra Behn*, vol. 5, Londres, J. Pearson, 1871 (1ʳᵉ édition 1735).

Belgiojoso, Cristina Trivulzia Barbiano di, princesse, *Asie Mineure et Syrie. Souvenirs de voyage*, Paris, M. Lévy, 1858. [*Oriental Harems and Scenery*, New York, Carleton, 1862.]

Bensly, Mme R. L., *Our Journey to Sinai : A Visit to the Convent of St. Catarina*, Londres, The Religious Tract Society, 1896.

Bird, Isabella Lucy, *An Englishwoman in America*, introduction par Andrew Hill Clark, Madison, Milwaukee, Univ. of Wisconsin Press, 1966 (1ʳᵉ édition 1856).

— *The Golden Chersonese and the Way Thither*, Londres, John Murray, 1883.

— *The Hawaiian Archipelago : Six Months among the Palm Groves, Coral Reefs and Volcanoes of the Sandwich Islands*, Londres, John Murray, 1875.

— *Voyages en Perse et au Kurdistan : un été dans la haute région de Karun. Une visite aux rajahs nestoriens*, Dronsart. [*Journeys in Persia and Kurdistan. Including a Summer in the Upper Karun Regionand a Visit to the Nestorian Rayahs*, 2 vol., Londres, John Murray, 1891.]

— *Une Anglaise au Far-West. Voyage d'une femme aux montagnes Rocheuses*, Paris, Payot, 1997, [*Abady's Life in the Rocky Mountains*, Londres, John Murray, 1910 (1ʳᵉ édition 1879).]

— *Unbeaten Tracks in Japan : An Account of Travels on Horseback in the Interior Including Visits to the Aborigenes of Yezo and the Shrines of Nikko and Isé*, 2 vol., New York, G. P. Putnam, 1881 (1ʳᵉ édition 1880).

— *The Yangtze Valley and Beyond : An Account of Journeys in China, Chiefly in the Province of Sze Chuan and among the Mantze of the Somo Territory*, Londres, John Murray, 1899.

Blanch, Leslie. *Under a Lilac-Bleeding Star : Travels and Travellers*, Londres, John Murray, 1963.

Blessington, Marguerite, comtesse de, « Lady Blessington at Naples », extraits de *The Idler in Italy*, éd. Edith Clay, Londres, H. Hamilton, 1979.

Blunt, Lady Anne, *Les Tribus arabes de la vallée de l'Euphrate et La Vie nomade*, in *Tour du monde*. [*Bedouin Tribes of the Euphrates*, 2 vol., Londres, John Murray, 1879.]

— *Journals and Correspondance, 1878-1917*, éd. Rosemary Archer et James Fielding, Cheltenham, U.K., Alexander Heriot, 1986.

— *Pèlerinage au Nejd, berceau de la race arabe*, in *Tour du monde* 63, 1881, 1-80. [*A Pilgrimage to Nejd : The Cradle of the Arab Race. A Visit to the Court of the Arab Emir, and « Our Persian Campaign »*, 2. vol., Londres, John Murray, 1881.]

Brassey, Lady Annie, *Le Dernier Voyage, 1886-1887*, Dronsart. [*The Last Voyage, 1886-1887*, Londres, Longmans, Green, 1889.]

Burton, Lady Isabel, *The Inner Life of Syria, Palestine and the Holy Land*, 2 vol., Londres, H. S. King, 1875.

Burton, Lady Isabel, et W. H. Wilkins, *The Romance of Isabel Lady Burton : The Story of Her Life*, Londres, Hutchinson, 1898.

Bury, Lady Charlotte, *The Diary of a Lady-in-Waiting : Being the Diary Illustrative of the*

Times of George the Fourth [etc.], 2 vol., Londres, John Lane, 1908.

Calderón de la Barca, Frances Erskine, Life in Mexico : During a Residence of Two Years in that Country, Londres, Chapman & Hall, 1843.

Carey, William, éd., Adventures in Tibet : Including the Diary of Miss Annie R. Taylor's Remarkable Journey from Tay-Chau to Ta-Chien-Lu Through the Heart of the Forbidden Land, Londres, Hoddert & Stoughton, 1902.

Cariboo : The Newly Discovered Gold Fields of British Columbia, rééd., Fairfield, Washington, Ye Galleon Press, 1975 (1re édition 1862).

Childs, Virginia, Lady Hester Stanhope : Queen of the Desert, Londres, Weidenfeld & Nicolson, 1990.

Clacy, Ellen (Mme Charles), A Lady's Visit to the Golden Diggings of Australia, 1852-1853, Written on the Spot, Melbourne, Lansdowne Press, 1963 (1re édition 1853).

Coleridge, Edith, éd., Memoir and Letters of Sara Coleridge, vol. 1., Londres, Henry S. King, 1873.

Collis, Maurice, Foreign Mud, Londres, Faber & Faber, 1946.

Cortambert, Richard, Les Illustres Voyageuses, Paris, Maillet, 1866.

Cowan, J. M., éd., The Hans Wehr Dictionary of Modern Written Arabic, Ithaca, N.Y., Spoken Languages Services, 1976.

Craven, Lady Elizabeth, The Beautiful Lady Craven : The Original Memoirs [etc.] (1790-1828), éd. A. M. Broadley et Lewis Melville, 2 vol., Londres, John Lane, 1914.

Crisp, Elizabeth, Diary of her Captivity in Barbary, in the year 1756, collection des manuscrits de la Charles E. Young Research Library, Collections spéciales, UCLA.

Cust, Nina, Wanderers : Episodes from the Travels of Lady Emmeline Stuart-Wortley and her Daughter Victoria 1849-1855, New York, Coward-McCann, 1928.

Dashkov, princesse Catherine Vorontsov, The Memoirs of Princess Dashkov, traduit et édité par Kyril Fitzlyon, Londres, John Calder, 1958.

Davis, Natalie Zemon, Women on the Margins : Three Seventeenth-Century Lives, Cambridge, Mass., Harvard Univ. Press, 1995.

Dieulafoy, Jeanne, Une amazone en Orient, publié par Chantal Edel et Jean-Pierre Sicre, Paris, Phébus, 1989.

Dronsart, Marie, Les Grandes Voyageuses, Paris, Hachette, 1894.

Duff Gordon, Lady Lucie, Letters from Egypt : 1862-1869, publié par Gordon Waterfield,

Londres, Routledge & Kegan Paul, 1969 (1re édition 1865 et 1875).

Duffy, Maureen, The Passionnate Sheperdess : Aphra Behn 1640-1690, Londres, Jonathan Cape, 1977.

Duyckinck, Ewart A., Portrait Gallery of Eminent Men and Women, with Biographies, vol. 2, New York, Johnson Wilson, 1874.

Eberhardt, Isabelle, The Passionnate Nomad : The Diary of Isabelle Eberhardt, traduit par Nina de Voogd, Boston, Beacon Press, 1987.

Eden, Hon. Emily, Up the Country : Letters Written to Her Sister from the Upper Provinces of India, 2 vol., Londres, Richard Bentley, 1866.

Edwards, Amelia, Untrodden Peaks and Unfrequented Valleys : A Midsummer Ramble in the Dolomites, Londres, Longmans, Green, 1873.

Elliot, Frances Minto, Diary of an Idle Woman in Spain, 2 vol., Londres, F. V. White, 1884.

Falconbridge, Anna Maria, Narrative of Two Voyages to the River Sierra Leone, During the Years 1791-1792-1793, éd. Christopher Fyfe, Liverpool Univ. Press, 2000 (1re édition 1794).

Fanshawe, Lady Ann, The Memoirs of Anne, Lady Halkett and Ann, Lady Fanshawe, publié par John Loftis, Oxford, Clarendon Press, 1979.

Fay, Mme Eliza, Original Letters from India : Containing a Narrative of a Journey Through Egypt, and the Author's Emprisonment at Calicut by Hyder Ally : 1779-1815, introduction d'E. M. Forster, Londres, Hogarth Press, 1925 (1re édition 1817).

Forbes, Anna, Unbeaten Tracks in Islands of the Far East : Experiences of a Naturalist's Wife in the 1880's, Singapour, Oxford Univ. Press, 1987 (1re édition sous le titre d'Insulinde 1887).

Fountaine, Margaret, Love Among the Butterflies : The Secret Life of a Victorian Lady, publié par W. F. Cater, Boston, Little Brown, 1980.

Franck, Katherine, A Voyager Out : The Life of Mary Kingsley, New York, Ballentine, 1986.

Fraser, Flora, The Unruly Queen : The Life of Queen Caroline, New York, Alfred A. Knopf, 1996.

Gattey, Charles Nielson, A Bird of Curious Plumage : The Life of Princess Cristina di Belgiojoso, 1808-1871, Londres, Constable, 1971.

Gladstone, Penelope, Travels of Alexine : Alexine Tinne, 1835-1869, Londres, John Murray, 1970.

Gordon Cumming, Constance F., In the Himalayas and on the Indian Plains, 2 vol., New York, Scribner's, 1884.

Graham, Maria Dundas, The Captain's Wife : the South American Journals of Maria Graham, 1821-1823, éd. Elizabeth Mavor, Londres, Weidenfeld & Nicolson, 1993.

— *Journal of a Residence in India*, Edinburgh, Archibald Constable *et al.*, 1812.

Guthrie, Mme Maria, *A Tour, Performed in the Years 1795-1796, Through the Taurida, or Crimea, The Antient Kingdom of Bosphorus… Described in a Series of Letters to Her Husband, the Editor, etc.*, Londres, T. Cadell, 1802.

Hall, Richard, *Lovers on the Nile : The Incredible African Journeys of Sam and Florence Baker*, New York, Random House, 1980.

Hardy, Lady Mary Duffus, *Through Cities and Prairies Lands : Sketches of an American Tour*, New York, Worthington, 1881.

Hargrave, Letitia, *The Letters of Letitia Hargrave*, publié par Margaret Arnett McLeod, Toronto, The Champlain Society, 1947.

Hart, Ursula Kingsmill, *Two Ladies of Colonial Algeria : The Lives and Time of Aurélie Picard and Isabelle Eberhardt*, Athens, Ohio, Ohio Univ. Center for International Studies, Monographies d'études internationales, Série africaine n° 49, 1987.

Hill, Florence, et Hill, Rosamond, *What We Saw in Australia*, Londres, Macmillan, 1875.

[Hommaire de Hell, Adèle] et Hommaire de Hell, Xavier, *Les Steppes de la mer Caspienne, le Caucase, la Crimée et la Russie méridionale ; voyage pittoresque, historique, scientifique*, 3 vol., Paris, Bertrand, 1843-1844-1855. [*Travels in the Steppes of the Caspian Sea, The Crimea, The Caucasus etc.*, Londres, Chapman & Hall, 1847.]

Jameson, Anna, *Winter Studies and Summer Rambles in Canada*, Toronto, McClelland & Stewart, 1923 (1re édition 1838).

Kinder, Hermann, et Hilgemann, Werner, *The Penguin Atlas of World History*, vol. 2, traduit par Ernest A. Menze, Harmondsworth, Penguin, 1978.

Kinglake, A. W., *Eothen*, Londres, Century, 1982 (1re édition 1844).

Kingsley, Mary Henrietta, *Travels in West Africa*, Londres, Macmillan, 1897.

— *West African Studies*, Londres, Macmillan, 1899.

Klumpke, Anna, *Rosa Bonheur : The Artist's (Auto)biography*, traduit par Gretchen Van Slyke, Ann Arbor, Univ. of Michigan Press, 1997.

Kobak, Annette, *Isabelle : The Life of Isabelle Eberhardt*, New York, Vintage Books, 1990.

Leonowens, Anna H., *The English Governess at the Siamese Court*, Boston, J. R. Osgood, 1871.

Londonderry, Edith, marquise de, *Frances Anne : The Life and Times of Frances Anne Marchioness of Londonderry and her Husband Charles Third Marquess of Londonderry*, Londres, Macmillan, 1958.

Londonderry, Frances Anne, marquise de, *Russian Journal of Lady Londonderry, 1836-1837*, publié par W. A. L. Seaman & J. R. Sewell, Londres, John Murray, 1973.

Longford, Elizabeth, *A Pilgrimage of Passion : The Life of Wilfrid Scawen Blunt*, Londres, Weidenfeld & Nicolson, 1979.

Lovell, Mary S., *Rebel Heart : The Scandalous Life of Jane Digby*, New York, W. W. Norton, 1995.

Marsden, Kate, *À cheval et en traîneau à la recherche des lépreux sibériens*, Dronsart. [*On Sledge and Horseback to Outcast Siberian Lepers*, Londres, Record Press, 1893.]

Martineau, Harriet, *Eastern Life, Present and Past*, Philadelphia, Lea & Blanchard, 1848.

— *Retrospect of Western Travel*, 3 vol., Londres, Saunders & Otley, 1838.

Maxwell, Patrick, éd., «Voyage of Madame Godin along the River of the Amazons», in the Year 1770», in *Perils and Captivity [etc.]*, Édimbourg, Constable, 1827.

Meredith, Louisa Anne, *Notes and Sketches of New South Wales : During a Residence in that Colony from 1839 to 1844*, Londres, John Murray, 1844.

[Meryon, Charles L.], *Memoirs of the Lady Hester Stanhope : As Related by Herself in Conversations with Her Physician ; Comprising Her Opinions and Anecdotes of Some of the Most Remarkable Persons of Her Time*, 3 vol., Londres, H. Colburn, 1846.

Mitchell, T., *Handbook for Travellers to Russia, Poland and Finland*, Londres, John Murray, 1865.

Middleton, Dorothy, *Victorian Lady Travellers*, Chicago, Academy, 1965.

Montagu, Lady Mary Wortley, *The Letters and Works of Lady Wortley Montagu*, 3 vol., publié par Lord Wharncliffe, Londres, Richard Bentley, 1837.

Mullen, Richard, *Birds of Passage : Five Englishwomen in Search of America*, New York, St. Martin's press, 1994.

Nightingale, Florence, *Letters from Egypt : A Journey on the Nile, 1849-1850*, publié par Anthony Sattin, New York, Weidenfeld & Nicolson, 1987.

Noble, Anne, *Narrative of the Shipwreck of the «Kite» and the Imprisonment and Sufferings of the Crew and Passengers ; in a Letter from Mrs. Anne Noble to a Friend*, Macao, Canton Press, 1841.

North, Marianne, *Souvenirs d'une heureuse vie*, Donsart. [*Recollections of a Happy Life*, publié par Mme J. A. Symonds, 2 vol., Londres, Macmillan, 1892].

— Some Further Recollections of a Happy Life, publié par Mme J. A. Symonds, Londres, Macmillan, 1893.

Parker, Mary Ann, A Voyage Round the World, publié par Gavin Fry, Sydney, Horden House & Australian National Maritime Museum, 1991 (1re édition 1795).

Parks, Fanny, Wanderings of a Pilgrim in Search of the Picturesque, 2 vol., Karachi, Oxford Univ. Press, 1975 (1re édition 1850).

Parks, George B., The English Traveler to Italy, vol. 1, The Middle Ages (to 1525), Stanford, CA, Stanford Univ. Press, 1954.

Petherick, John, et Petherick, Katherine Harriet, Travels in Central Africa and Explorations of the Western Nile Tributaries, Londres, Tinsley, 1869.

Pfeiffer, Ida, Mon second voyage autour du monde, traduit de l'allemand par W. de Suckau, Paris, Hachette, 1857. [A Lady's Second Journey Round the World, New York, Harper & Brothers, 1856.]

— Visit to the Holy Land, Egypt, and Italy, Londres, Ingram, Cooke, 1852.

— Le Premier Voyage d'une femme autour du monde, traduit de l'allemand par W. de Suckau, Paris, Hachette, 1859. [A Woman's Journey Round the World, from Vienna to Brazil, Chili, Tahiti, China, Hindoustan, Persia and Asia Minor, Londres, Office of the National Illustrated Library, vers 1851.]

[Picard] Dard, C. A., «The Suffering and Misfortunes of the Picard Family, After the Shipwreck of the Medusa, on the Western Coast of Africa, in the Year 1816», in Perils and Captivity [etc.], publié par Patrick Maxwell, Édimbourg, Constable, 1827.

Premble, John, éd., Miss Fane in India, Gloucester, Alan Sutton, 1985.

«Railway», in Encyclopædia Britannica, vol. 20, Philadelphie, J. M. Stoddart, 1886.

Rijnhart, Susie Carson, With the Tibetans in Tent and Temple : Narrative of Four Years' Residence on the Tibetan Border, and of a Journey into the Far Interior, New York, Fleming, H. Revell, 1901.

Roberts, Emma, Notes of an Overland Journey through France and Egypt to Bombay, Londres, W. H. Allen, 1841.

Robinson, Jane, Wayward Women : A Guide to Women Travellers, Oxford, Oxford Univ. Press, 1990.

Russel, Mary, The Blessings of a Good Thick Skirt : Women Travellers and Their World, Londres, Collins, 1988.

Schaw, Janet, Journal of a Lady of Quality, publié par Evangeline W. Andrews et Charles McL. Andrews, 3e éd., New Haven, Yale Univ. Press, 1939 (1re édition 1921).

Schopenhauer, Johanna, A Lady Travels : Journeys in England and Scotland from the Diaries of Johanna Schopenhauer, traduit de l'allemand et publié par Ruth Michaelis-Jena et Willy Merson, Londres, Routledge, 1988.

Schreiber, Lady Charlotte, Lady Charlotte Schreiber's Journals : Confidences of a Collector of Ceramics and Antiques Throughout Britain, France, Holland, Belgium, Spain, Portugal, Turkey, Austria and Germany From the Years 1869 to 1885, éd. Montague J. Guest [etc.], 2 vol., Londres, John Lane, 1911.

Seacole, Mme Mary, Wonderful Adventures of Mrs. Seacole in Many Lands, éd. W. J. S., introduction par W. J. Russell, Esq., New York, Oxford Univ. Press, 1988 (1re édition 1857).

Serena, Carla, De la Baltique à la Caspienne. Souvenirs personnels, Paris, Dreyfous, 1881.

Seymour, Bruce, Lola Montez : A Life, New Haven, Yale Univ. Press, 1996.

Shelley, Mary, History of a Six Weeks' Tour, Letters from Geneva I and II, et Rambles in Germany and Italy. The Novels and Selected Works of Mary Shelley, vol. 8, Travel Writing, éd. Jeanne Moskal, Londres, William Pickering, 1996 (1re édition 1817 et 1844).

Sillitoe, Alan, Leading the Blind : A Century of Guide Book Travel, 1815-1914, Londres, Macmillan, 1995.

Smith, George Barnett, Women of Renown, New York, Books for Libraries Press, 1972 (1re édition 1893).

Staël, Anne Louise Germaine de, Corinne, ou l'Italie, New York, Leavitt and Allen, 1863. [Corinne, or Italy, traduit du français par Avriel H. Goldgerger, New Brunswick, N. J., Rutgers Univ. Press, 1987 (1re édition 1807).]

Starke, Mariana, Travels in Europe, for the Use of Travellers on the Continent, and Likewise in the Island of Sicily [etc.], 9e éd., Paris, A. & W. Galignani, 1839 (1re édition 1820).

Strachey, Lytton, «Lady Hester Stanhope» in Biographical Essays, Londres, Chatto & Windus, 1960.

Thurman, Judith, Secrets of the Flesh : A Life of Colette, New York, Alfred A. Knopf, 1999.

Tristan, Flora, Les Pérégrinations d'une paria : 1833-1834, Paris, Maspero, 1979 (1re édition sous le titre Mémoires et Pérégrinations d'une paria 1838). [Peregrinations of a Pariah, traduit et publié par Jean Hawkes, Boston, Beacon Travellers, 1987 (1re édition 1838).]

Trollope, Frances Milton, Domestic Manners of the Americans, éd. Donald Smalley, New York,

Alfred A. Knopf, 1949 (1re édition 1832).
— *Paris et les Parisiens en 1835*, New York, Harper & Brothers, 1836.

Tully (Mlle), *Narrative of a Ten Years' Residence at Tripoli in Africa : From the Original Correspondence in the Possession of the Family of the Late Richard Tully, Esq., the British Consul*, Londres, H. Colburn, 1816.

Van Kirk, Sylvia, «Gunn, Isabel», in *Dictionary of Canadian Biography*, vol. 5, 1801 à 1820, Toronto, Univ. of Toronto Press, 1983.

Withey, Lynne, *Grand Tours and Cook's Tours : A History of Leisure Travel : 1750 to 1915*, New York, William Morrow, 1997.

Wollstonecraft, Mary, *Collected Letters of Mary Wollstonecraft*, éd. Ralph M. Wardle, Ithaca, Cornell Univ. Press, 1979.
— *Letters Written during a Short Residence in Sweden, Norway, and Denmark*, Londres, J. Johnson, 1796.

Wortley, Lady Emmeline Charlotte Elizabeth (Manners) Stuart, *Travels in the United States, etc. During 1849 and 1850*, New York, Harper & Brothers, 1851.

PÉRIODIQUES
ILN = *Illustrated London News*

Belgiojoso, Cristina Trivulzia Barbiano di, princesse, «La vie intime et la vie nomade en Orient, scènes et souvenirs de voyage», in *Revue des deux mondes* 9, 1er février 1855, 466-501.

Bourboulon, Catherine de, et Poussielgue, Achille, «Relation de voyage de Shanghaï à Moscou, par Pékin, la Mongolie et la Russie asiatique, rédigée d'après les notes de M. de Bourboulon, ministre de France en Chine, et de Mme de Bourboulon, 1860-1862», in *Tour du monde* 10, 1864, 289-336 ; 11, 1865, 233-272.

Cristiani, Lise, «Voyage dans la Sibérie orientale», in *Tour du monde* 7, 1863, 385-400.

Dieulafoy, Jane, «La Perse, la Chaldée et la Susiane, 1881-1882», in *Tour du monde* 46, 1883, 81-160.
— «À Suse, journal des fouilles 1884-1886», in *Tour du monde* 54, 1887, 1-96 ; 55, 1887, 1-80 ; 56, 1887, 81-160.

[Eastlake, Lady Elizabeth], «Lady Travellers», in *Quarterly Review* 151, 1845, 98-137.

«Epitome of News – Foreing and Domestic», in *ILN*, 30 novembre 1844, 343.

«Evacuation of the Crimea», in *ILN*, 30 août 1856, 216.

Félinska, Ève, «De Kiev à Bérézov, souvenir d'une exilée en Sibérie (1839)», in *Tour du monde* 6, 1862, 209-240.

«Lady Travelers in Norway», in *Eclectic Magazine*, 1858, 176-187.

«Murder of Mdlle. Tinne in the Interior of Africa», in *Times* (de Londres), 6 septembre 1869, 10.

«Not at Home», in *Punch*, 21 juin 1856, 258.

«Our Own Vivandière», in *Punch*, 30 mai 1857, 221.

Paschkoff, Lydie, «Voyage à Palmyre (1872)», in *Tour du monde* 33, 1872, 161-176.

Serena, Carla. «Excursion au Samourzakan et en Abkasie (1881)», in *Tour du monde* 43, 1882, 353-416.
— «Trois mois en Kakhétie (1877-1881)», in *Tour du monde* 44, 1882, 193-208, 225-240.

Ujfalvy-Bourdon, Marie de, «Voyage d'une Parisienne dans l'Himalaya occidental, le Koulou, le Cachemire, le Baltistan et le Dras (1881)», in *Tour du monde* 46, 1883, 353-416.

CRITIQUES D'OUVRAGES
Les critiques suivantes n'étaient pas signées.

Baker, Samuel White, *The Albert N'yanza, Great Basin of the Nile, and Exploration of Nile Sources*, Londres, Macmillan, 1866. Compte rendu dans *ILN*, 16 juin 1866, 594.

Eden, Lizzie Selina, *My Holiday in Austria*, Londres, Hurst & Blackett, 1869. Compte rendu dans *ILN*, octobre 1869, 368.

Edwards, Amelia, *Untrodden Peaks and Unfrequented Valleys : A Midsummer Ramble in the Dolomites*, Londres, Longmans, Green, 1873. Compte rendu dans *ILN*, 30 août 1873, 206.

Elliot, Frances Minto, *Diary of an Idle Woman in Italy*, 2 vol., Londres, Chapman & Hall, 1871. Compte rendu dans *ILN*, 1er juillet 1871, 639.

Gushington, Impulsia, Hon., *Lispings from Low Latitudes ; or, Extracts from the Journal of the Honourable Impulsia Gushington*, éd. Lord Dufferin, Londres, John Murray, 1863. Compte rendu dans *ILN*, 18 avril 1863, 438.

«Mrs. Poole's "Englishwoman in Egypt"». Compte rendu de *The Englishwoman in Egypt : Letters from Cairo…*, par Sophie Lane Poole, *Blackwood's Magazine*, mars 1845, 286-297.

Remerciements

JE SUIS GRANDEMENT REDEVABLE à la bibliothèque principale de l'université de British Columbia, et particulièrement à Bonita Stableford, Wayne Mackay et Felicity Nagai pour l'aide enthousiaste qu'ils m'ont apportée dans cette recherche. Un remerciement tout particulier, également, à Victoria Steele, chef du Département des collections spéciales, et à Anne Caiger, conservatrice des manuscrits, à la Charles E. Young Research Library, UCLA, pour avoir exhumé le manuscrit d'Eliza Crisp, ainsi que d'autres documents remarquables. Un autre remerciement à Romaine Ahlstrom, chef du service des lecteurs, The Huntington Library, pour m'avoir montré certains des trésors de la remarquable collection Huntington. Merci à tous ceux qui m'ont suggéré des voyageuses (j'aurais aimé pouvoir les citer tous ici), et à Saeko Usukawa, qui a recherché les sources concernant Frances Anne Hopkins. Merci à ma directrice littéraire, Nancy Flight, qui a patiemment trié un flot de matériau ; à l'éditrice de l'ouvrage, Maureen Nicholson, qui s'est remarquablement acquittée de la tâche de passer au crible les dates, les noms et des myriades d'autres détails ; et un merci à David Gay, comme toujours.

Index